KU-142-993

Bummel durch Hamburg

Hans Hartz / Bernd Schiller

Bummel durch Hamburg

Süddeutscher Verlag München

Mit 26 Fotos von Hans Hartz
Bildlegenden von Bernd Schiller

Die Übersetzung der Bildlegenden ins Englische
besorgte Geoffrey P. Burwell,
die ins Spanische Jürgen Künneth
Autor und Verlag danken für die Überlassung
und die Abdruckerlaubnis folgender Fotos:
Bild 7: Hamburger Hafen- und Lagerhaus-AG (freigegeben durch L. A. Hamburg 1509/70)
Bild 8: Firma Henry Stahl, Hamburg
Bild 17, 18, 20 und 30: Staatliche Landesbildstelle Hamburg

1976 · 25. Tausend

ISBN 3-7991-5621-6

Printed in Germany. Schrift: Garamond Antiqua
Reproduktion: Karl Wenschow GmbH, München
Druck: Robert Malz KG, Donauwörth
Bindearbeit: Grimm u. Bleicher, München

Verzeichnis der Abbildungen

Bild

List of Pictures

Picture

Indice de Tomas

Toma

Ahnt man etwas vom Charakter einer großen Stadt, spürt man Atmosphärisches und Typisches, wenn man sich ihr durch endlose, zersiedelte Vorstädte nähern muß? Peripherie sieht überall gleich aus: trostlos, grau, nichtssagend. In London wie in Athen, in Paris wie in Kopenhagen; und natürlich auch in Hamburg. Die Freie und Hansestadt, der Stadtstaat an der Elbe, hat fast zwei Millionen Einwohner, ist die größte Industriestadt der Bundesrepublik, der wichtigste Verkehrsknoten im Norden Deutschlands. Kraftwerke, Raffinerien, Kläranlagen, Schienenbündel, häßliche Fernstraßen, auf denen der Strom der Fahrzeuge niemals abreißt – das alles kann man nicht verstecken. Es gehört zu einer großen Stadt. Ihre Gäste lernen diese Merkmale eines Ballungsgebietes meistens eher kennen als die Sehenswürdigkeiten.

In Hamburg läßt sich das umgehen. Es läßt sich, genauer gesagt, mit dem Schiff umfahren. Wer das Glück hat, sich dem Welthafen auf dem Seewege zu nähern, wer auf dem breiten Strom der großen Stadt langsam entgegenschwimmt, wird schon bei der ersten Begegnung mit Hamburg gewahr, wo das Herz dieser faszinierenden Metropole schlägt. Die Elbe und der Hafen bestimmen den Rhythmus bis hinaus an die grünen Grenzen des Bundeslandes Hamburg. Breit und träge, ein typischer Flachlandstrom, ist die Unterelbe. Ihre Ufer sind fast zu jeder Jahreszeit mit sattem Grün überzogen. Kleine rotweiße Leuchttürme, an die Deiche geduckte Höfe, schwarzbuntes Vieh prägen dieses stille Marschenland. Noch sind die Werfthelgen weit, noch wieseln keine Barkassen um unser Schiff. Zeit zum Schauen, Zeit zum Träumen.

Heute ist die Elbe zwischen Hamburg und ihrer Mündung in die Nordsee bei Cuxhaven einer der befahrensten Wasserwege der Welt. Tanker kommen uns entgegen. Sie werden in die Gluthitze des Persischen Golfes fahren, um wieder Rohöl für die Raffinerien im hamburgischen Hafengelände zu holen, über denen Tag und Nacht die rußigroten Fackeln lodern. Ein Ozeanriese, eines der seltener gewordenen Passagierschiffe, überholt uns. Es wird an der Überseebrücke festmachen. Seine Fahrgäste suchen schon jetzt mit dem Fernglas den Horizont nach den Türmen der großen Stadt ab.

Ein Frachter läuft stromabwärts. Ein paar farbige Matrosen winken. Irgendwo in fernen Häfen wird dieses Schiff Ladung übernehmen, Waren, die es Wochen oder erst Monate später in Hamburg löschen wird.

Es gehört wenig Phantasie dazu, sich die geblähten Segel der Kauffahrteischiffe auf diesem Strom, der Lebensader des deutschen Nordens, vorzustellen; wie sie in früheren Jahrhunderten, beladen mit Gewürzen, mit Tuchen, mit Kaffee, Tee, Kakao oder Tabak, die Elbe heraufkamen. Seefahrt und Handel haben die Republik der königlichen Kaufleute zu Ruhm und Reichtum gebracht. Beides verdankt sie vor allem dem Barbarossa. Der Hohenstaufenkaiser Friedrich I. mit dem roten Bart verlieh Ende des 12. Jahrhunderts dem jugendlichen Grafen Adolf III. von Schauenburg für dessen Kaufmannssiedlung an der Elbe einen Freibrief, in dem der aufstrebenden Stadt am Strom weitgehende Handels- und Schiffahrtsprivilegien zugesichert wurden. Das war am 7. Mai 1189. Dieses glücklichen Frühlingstages gedenken die Hamburger noch heute, wenn sie alljährlich am 7. Mai den Überseetag feiern, den man in der Hansestadt Hafengeburtstag nennt.

Durch die Jahrhunderte blieb Hamburg republikanisch. Geschickt, zuweilen gar raffiniert, wußten die Herren des kleinen, aber reichen Stadtstaates ihren Einfluß im diplomatischen Ränkespiel mit den Fürstlichkeiten des Deutschen Reiches zu wahren und zu mehren. Zu weltweitem Ansehen gelangte Hamburg, als es sich der Hanse anschloß. Innerhalb dieses bedeutendsten Städtebundes des deutschen Mittelalters spielten die Hamburger von der Gründung bis zum Zerfall eine hervorragende Rolle, obgleich sie Lübeck, dem Tor zu den Ostseeländern, den Rang als Königin der Hanse nicht streitig machen konnten. Aber als später die Blüte der Hanse zu welken begann, strahlten Handel und Wandel in Hamburg prächtiger denn je. Ein solider Wohlstand prägte den Charakter dieses Gemeinwesens und seiner Bewohner. Aus der Funktion als Kaufmanns- und Seefahrerrepublik erklärt sich die Rolle, die Handelsherren und Schiffskommandanten durch die Jahrhunderte auszuüben vermochten. Sie waren der Adel dieser Stadt. Und sie nutzten ihre Vorzugsstellung bis zum Anfang dieses Jahrhunderts ziemlich rigoros. Doch so konservativ diese Mächtigen auch gewesen sein mögen, reaktionär waren sie nach übereinstimmender Ansicht der Historiker nur selten. Das liberale Element – im weitesten Sinne – war stets bestimmend für die Politik nach innen und nach außen.

Auf der linken, der Backbordseite wird die Bebauung dichter, die Weite der Marsch tritt zurück. Parks, gepflegte Uferhänge lassen die nahe Großstadt ahnen.

Musik klingt herüber. Wir passieren »Willkommhöft«, jene einzigartige Schiffsbegrüßungsstation in Schulau, an der Grenze zwischen Schleswig-Holstein und Hamburg. Jeder ein- und ausreisende Seemann und jeder Passagier wird begrüßt und verabschiedet – ein Brauch, der die Sympathien für Hamburg bei den seefahrenden Nationen aller Kontinente vertieft hat. Blankenese kommt in Sicht: ein Hauch Tessin; ein charmanter Farbtupfen des Südens im Norden; die Häuser an den Hang geklebt, durch Treppen, Treppchen und Stiegen verbunden. Grün in allen Schattierungen läßt vergessen, daß der heiter-bunte Süden etliche tausend Kilometer entfernt ist.

Immer abwechslungsreicher wird das Elbufer. Drüben an Steuerbord zeigen die gewaltigen Helgengerüste der Großwerften von Finkenwerder, wie nah wir dem Hafen sind. Auf der anderen Seite wird der Blick vom massiven Kühlhausblock in Neumühlen angezogen. Wir passieren Altona. Schlepper leihen uns jetzt ihre bullige Kraft, um unser Schiff sicher an den Pier zu bringen. Die Maschinen auf den Werften kreischen. Sirenen heulen den Schichtwechsel ein. Dumpf dröhnen die Typhone, die Signalhörner der großen Schiffe. Barkassen und Schuten, Fähren und Baggerschiffe, Getreidesauger und Rundfahrtboote, Schlepper und Musikdampfer kreuzen das Fahrwasser, lassen die Wellen nie zur Ruhe kommen. Der grünkupferne Turm des Michel leuchtet herüber; Sankt Michaelis, 132 Meter hoch, das Wahrzeichen dieser Stadt, grüßt uns.

Etwa 20000 Schiffe laufen jährlich die Hansestadt an. In den 60 Hafenbecken ist der Frachter aus China mit den Riesenbildern von Mao am Schornstein nicht ungewöhnlicher als ein Segelschulschiff aus Südamerika. Hier liegen Schiffe mit dem Davidstern am Heck neben solchen, die arabische Symbole in der Flagge führen.

Zwei Drittel der Gesamttonnage der deutschen Flotte gehören Hamburger Reedereien. Zehntausende von Hafenarbeitern sorgen rund um die Uhr für einen schnellen Umschlag der Waren. Fast 50 Millionen Tonnen Güter aller Art durchlaufen diesen Hafen, dessen Fläche viel größer ist als die Insel Sylt.

Werftarbeiter bauen und reparieren Spezialschiffe. Und Hunderttausende in Kontoren und Fabrikhallen sind mit diesem Gebiet, in dem der Puls der Zweimillionenstadt am kräftigsten schlägt, verbunden, auch wenn sie es manchmal gar nicht wissen.

Der Hamburger, ob er in der Hansestadt geboren ist oder nicht, mag seinen Hafen. Immer wieder wird er angezogen von Stapelläufen, von Passagierschiffen, von Flugzeugträgern, aber auch von Barkassen und vom Alltagsbetrieb.

Hamburger sein bedeutet, kosmopolitisch zu denken, tolerant zu sein. Die Hanseaten an der Elbe, die sich selten abkapselten, die es stets begrüßten, wenn Fremde sich ansiedelten – Juden aus Portugal, Niederländer, Hugenotten, Flüchtlinge aus dem Osten –, diese Hanseaten haben Mut zum Wagnis, doch sollte der Erfolg möglichst von vornherein garantiert sein. Dieser nüchternen Überlegungsweise entspricht der Humor der Hamburger: trocken, kauzig, verhalten. Man lacht nicht schallend, man schmunzelt lieber.

Vielleicht hat auch das Wetter mit dieser Haltung etwas zu tun. Aber so, wie es der napoleonische Feldscher Jacob Gallois, der wohl eigenwilligste unter den hamburgischen Chronisten, zu Anfang des 19. Jahrhunderts formulierte, ist es nun wirklich nicht. Gallois nämlich, der als Strandgut der in Rußland aufgeriebenen Großen Armee ans Elbufer gespült wurde, notierte seinerzeit, daß »ein unglückliches Geschick und Karl der Große Hamburg zwischen dem dreiundfünfzigsten und vierundfünfzigsten Breitengrad angesiedelt haben, nahe den Lappen und Grönland«. Hamburg ist, auch wenn es zuweilen so scheinen mag, keineswegs, wie der Pariser Apothekersohn Gallois meinte, »die Traufe Deutschlands«.

Die Küche ist kräftig, manchmal mit einem süßlichen Einschlag: Aalsuppe, Schellfisch, Scholle, Rundstück warm, Labskaus, rote Grütze – so etwas schmeckt nicht selten auch dem Fremden.

Das Stadtbild ist von Wasserläufen geprägt; sie zerschneiden nichts, sie verbinden alles. Die Schönheit der Stadt, von Globetrottern in aller Welt gerühmt, wäre undenkbar ohne die beiden Alsterbecken im Herzen Hammonias, die größer sind als das Fürstentum Monaco. Im Norden, in der holsteinischen Knicklandschaft, entspringt die Alster. Wo sie etwas breiter fließt, wo gepflegte Wanderwege sie säumen, wird sie hamburgisch. Und im Kern der Stadt schließlich öffnet sie sich zu den beiden Seen, der Außen- und der Binnenalster, denen die Freie und Hansestadt ihren Rang unter den schönsten Städten der Welt verdankt.

Der dritte Fluß neben Elbe und Alster, stets ein wenig im Schatten der beiden größeren, ist die Bille.

Sie schlängelt sich durch den Osten der großen Stadt; ihre Reize sind verborgener, aber für den Kenner nicht weniger lieblich.
Von den Fleeten, den Kanälen und Alsterarmen in der Innenstadt, die früher manchmal zu Vergleichen mit Venedig anregten, sind nur wenige geblieben. Noch immer aber hat die Hansestadt weitaus mehr Brücken als Venedig. Fremdenführer in Hamburg weisen mit Genugtuung darauf hin, und die Besucher quittieren es mit gebührendem Staunen. Am Nikolaifleet sind noch einige Speicher und Patrizierhäuser zu sehen. Aber nichts deutet darauf hin, daß dieses Fleet, ein Mündungsarm der Alster, die Keimzelle des heutigen Welthafens war.
Eine Altstadt, wie es sie in manchen Großstädten noch gibt, findet man in Hamburg nicht mehr. Die Zeugnisse der Vergangenheit sind über die ganze Innenstadt verstreut. Der flüchtige Besucher wird sie kaum finden. Wo heute Hochhäuser in den Himmel ragen, war einst das Gängeviertel. Pittoresk anzusehen, genügte es aber schon in den dreißiger Jahren nicht mehr den Grundbegriffen der Hygiene. Was die Sanierer der Vorkriegszeit dort übriggelassen hatten, legten die Bomben später in Schutt und Asche.
Die großen Kontorhäuser waren lange Zeit eine architektonische Attraktion. Noch heute gelten das Chilehaus oder der Sprinkenhof als Beweise für neue Wege im Städtebau, die vor Jahrzehnten beschritten wurden. Auch die Grindelhochhäuser, kurz nach dem Zweiten Weltkrieg erbaut, erregten in der Fachwelt Aufsehen. Manche bauliche Konzeption läßt sich in Hamburg leichter als in anderen deutschen Großstädten verwirklichen, weil die Hansestadt Kommune und Bundesland zugleich ist. Das hamburgische Staatsgebiet, das 747 Quadratkilometer umfaßt, ist in seiner heutigen Ausdehnung noch jung. Erst 1937 wurden die vormals preußischen Städte Altona, Wandsbek und Harburg mit der Freien und Hansestadt vereinigt. Heute ist von den früheren Grenzen nichts mehr zu erkennen. Nur aus dem Bewußtsein besonders traditionsverbundener Harburger oder Altonaer sind sie noch nicht ganz verschwunden.
Das Parlament heißt in Hamburg Bürgerschaft. Die Regierung ist der Senat mit einem Ersten Bürgermeister an der Spitze. Die Senatoren sind Ratsherren und Minister in Personalunion. Die Verwaltung des Stadtstaates wird von Fachbehörden wahrgenommen, die den Ministerien in den anderen Bundesländern entsprechen. Mit einer kurzen Unterbrechung haben seit dem Kriege stets Sozialdemokraten die Geschicke der Stadt bestimmt, oft zusammen mit den Liberalen. Hamburg ist seit jeher ein Domizil der Arbeiterbewegung gewesen. Einige Gewerkschaften und viele gemeinnützige und genossenschaftliche Institutionen, die mit dieser Bewegung eng verbunden sind, haben ihren Sitz in Hamburg.
Auf ihre demokratische Tradition sind die Hamburger stolz; sicher mit Recht, denn als anderswo noch militärischer Glanz, höfisches Zeremoniell und äußerer Prunk wesentliche Elemente des gesellschaftlichen Lebens waren, galt in Hamburg ein Dokument, das den Einwohner als »Bürger« auswies, mehr als ein Adelsprädikat.
Bürgersinn und ausgeprägtes Demokratieverständnis sind nach wie vor beherrschende Eigenheiten des Stadtstaates und seiner Bewohner. Das Bemühen, mit der demokratischen Tradition zu leben, nimmt dabei zuweilen fast skurrile Formen an. So bewegte vor einigen Jahren die Gemüter der Elbhanseaten wochenlang die Frage, ob man anläßlich des Staatsbesuchs der englischen Königin Elisabeth II. mit einer alten Überlieferung brechen solle.
Ein ungeschriebenes Gesetz besagt nämlich, daß der Erste Bürgermeister einem Gast nie bis vor die Rathaustür entgegentreten dürfe. Als das der damalige Erste Bürgermeister Dr. Paul Nevermann beim Besuch der Königin trotzdem tat, gab es nicht wenige Alteingesessene, die ihm diesen buchstäblichen »Fortschritt« ernsthaft übelnahmen.
Auch vor den Monarchen des eigenen Landes haben die Hanseaten ihren Bürgerstolz nie verleugnet. Als Kaiser Wilhelm II. die Freie und Hansestadt besuchte, sprach ihn der Senatspräsident mit der jovialen Formel »Unser verehrter Bundesgenosse« an. Der Kaiser war darüber so pikiert, daß er einen hochroten Kopf bekam. Er war übrigens mit Albert Ballin eng befreundet – jenem hervorragenden Hamburger Reeder, dem die Hamburg-Amerika-Linie vor dem Ersten Weltkrieg ihren Aufstieg zur größten Reederei der Welt verdankte.
Unumstritten ist ein anderes ungeschriebenes Gesetz: Ein Hamburger Senator nimmt keine Orden an. Männer, die beim Handel mit obskuren Auszeichnungen oder Titeln reich werden wollen, sollten sich nicht gerade an der Elbe niederlassen. Das Geschäft würde sich in Hamburg allzu zähflüssig anlassen.
Die Hafenrundfahrt haben wir hinter uns. Noch immer sind wir fasziniert von dieser Welt, die uns

mit fernen Küsten verbindet. Es fällt schwer, sich von den großen Schiffen, den knarrenden Kränen, den grellen Funken der Schweißgeräte auf den Werften, den hohen Stapeln exotischer Waren an den Kais und Schuppen zu lösen.
Aber der Hamburgbesucher möchte im Anschluß an die Fahrt durch die Hafenbecken jene Sehenswürdigkeit ansteuern, deren Anziehungskraft ebenso groß ist wie ihr Ruf umstritten. Geographisch macht diese Exkursion keine großen Schwierigkeiten, denn St. Pauli, das berühmte und berüchtigte Vergnügungsviertel, schließt sich an das Hafenviertel mit seinen grauen Häusern nahtlos an. Schlendern wir also über die Reeperbahn, über die Große Freiheit, durch die Herbertstraße, vorbei am »Palais d'Amour«, am »Eros-Center« und anderen Etablissements, deren phantasievolle Namen mit dem Gebotenen nicht immer in Einklang stehen. Die Hamburger pflegen ihrem Gast oft zu versichern, »als Hamburger« gehe man nicht nach St. Pauli, man tue es nur dem Besuch zuliebe. Das stimmt nicht ganz. Es gibt genug ehrenwerte Bürger, Originalhamburger, die oft und gern – und nicht selten mit ihren Ehefrauen – einen Bummel durch das größte und freizügigste Amüsierviertel der Welt unternehmen.
St. Pauli ist weit mehr als ein Stadtteil. Und es wäre noch nicht einmal hinlänglich charakterisiert, wenn man den Gemeinplatz wiederholen wollte, St. Pauli sei »eine Welt für sich«. Weil also Atmosphäre und Klischee bei einer Schilderung von St. Pauli nur schwer zu trennen sind, soll die Statistik ihre Aussage machen. Sie ist, im wahren Sinne des Wortes, bezeichnend genug.
St. Pauli hat knapp 50000 Einwohner. Die Majorität findet ihren Broterwerb im nahen Hafen, in der Industrie, im Kleinhandel, in bürgerlichen Berufen mithin, die der elbnahen Lage angepaßt sind. 4000 Einwohnerinnen allerdings verdienen ihr Geld auf andere Art: in den Altbauzimmern der durch Eisenwände vom öffentlichen Verkehr abgeschirmten Herbertstraße, in zwei Liebeskasernen mit infrarot geheizten Kontakthöfen, in etwa 40 Hotels, 10 Pensionen und in nahezu 100 gewerblich vermieteten Zimmern.
Zu St. Pauli, etwa 256 Hektar groß, gehören vier Kirchen, ein Krankenhaus, eine Schwimmhalle, sechs Kinos, zwei Theater, ein riesiger Schlachthof und ein Fußballverein, aber auch die Davidswache, der Welt wohl berühmtestes Polizeirevier. 96 Schutzpolizisten, 22 Beamtinnen und 30 Kriminalbeamte tun hier Dienst. Sie beschäftigen sich mit Kuppelei, Zuhälterei, Schlägerei, Beischlafdiebstahl, Zechprellerei und anderen alltäglichen Delikten.
419 Restaurants und Kneipen jeder Couleur gibt es auf St. Pauli, 66 Imbißstuben, 6 Beatschuppen, 45 Striptease-Etablissements, 14 Lokale für gleichgesinnte Herren und 4 für ebenso veranlagte Damen, 7 Bars für Transvestiten, von denen 300 den Beamten auf der Davidswache gut bekannt sind. Diese Zahlen sind einer für St. Pauli sehr natürlichen Fluktuation unterworfen.
Jeder muß »sein« St. Pauli selbst entdecken. Nur ein paar Tips seien erlaubt, damit der Bummel nicht unliebsam endet: Man sollte nicht den lockenden Versprechungen der operettenhaft kostümierten Portiers erliegen. Außerdem: Wenn man Weinbrand möchte, darf man nicht Kognak bestellen, und sich keinen Champagner andrehen lassen, wenn man Sekt verlangt hat. Die Kellner und Barbesitzer sind meist so listenreich, daß die Herren der Davidswache oft nicht wissen, wie sie einem geneppten Gast zu seinem Recht verhelfen sollen. Wer sich vorher informiert und ein wenig aufpaßt, kann sich »auf der Reeperbahn nachts um halb eins« trotzdem glänzend amüsieren, »ob er ein Mädel hat oder keins«. Das hat schon der »blonde Hans«, wie die Hamburger heute noch ihren Hans Albers nennen, gewußt.
Wenn der St.-Pauli-Bummel sonnabends unternommen wird, schließt er am Sonntag in der Frühe häufig mit dem Besuch des Fischmarkts am Altonaer Hafen ab. Hier kann man weiße Mäuse und graue Schildkröten, Heidschnuckenfelle und Gänseküken, durchgelegene Matratzen und zerlesene Bücher, alte Grammophone und klapprige Fahrräder, gestohlene Uhren und natürlich auch frischen Fisch kaufen – eine höchst originelle Angelegenheit, die an jedem Sonntag um sechs Uhr morgens beginnt. Schluß ist, wenn im Michel der Gottesdienst anfängt.
Hafen und St. Pauli mögen in der Prioritätenliste auswärtiger Gäste häufig ganz oben stehen. Aber Hamburg hat mehr zu bieten. Den besten Überblick hat man von einer Attraktion jüngeren Datums: dem Fernsehturm am Rande des Messeparks von Planten un Blomen, der die traditionelle sechstürmige Silhouette der Stadt verändert und bereichert hat. Offiziell heißt dieser Turm, bei dem sich in 128 Meter Höhe ein Restaurant um die Achse dreht, »Heinrich-Hertz-Turm«, aber jeder in Hamburg nennt ihn »Telemichel«. Zwischen Suppe

und Nachspeise zieht am Gast das Panorama einer großartigen Stadt vorbei: die Alster, der Hafen, die Hochhäuser der City und die zahlreichen Grünanlagen, um die Hamburg von vielen anderen Großstädten beneidet wird.
Die sechs Türme, die von jeher das Stadtbild bestimmten, sind recht unterschiedlicher Art. Der Michel mit seinem Patinahelm ist der bekannteste. Von seiner Plattform hat man einen Ausblick, der zwar in der Höhe vom Telemichel übertroffen wird, nicht aber im Blickfeld, denn zu Füßen des Michel liegt der Hafen. Der Michel, den die Hamburger so sehr lieben, ist mehr als nur Symbol und Wahrzeichen: den Kunsthistorikern gilt er als schönster barocker Kirchenbau in Norddeutschland. 1906 brannte er ab, wurde aber auf einmütigen und dringenden Wunsch der Elbhanseaten im alten Stil wiederaufgebaut. St. Michaelis ist eine der fünf hamburgischen Hauptkirchen. Die anderen sind St. Nikolai, St. Jacobi, St. Katharinen und St. Petri. Die Nikolaikirche ist nur mehr als Torso erhalten. Ihr neugotischer Turm an der breiten verkehrsreichen Ost-West-Straße ragt wie ein mahnender Zeigefinger empor. Das einstige Gotteshaus ist heute eine Gedenkstätte für die Opfer der Schreckensjahre von 1933 bis 1945.
Wer in der Hansestadt mit dem Zug ankommt, hat zunächst einen Eindruck, der alles andere als weltstädtisch ist, denn der Hamburger Hauptbahnhof, über einem ehemaligen Friedhof errichtet, ist schlicht gesagt häßlich. Da er aber in die innerste Innenstadt eingebettet ist – mit Kontor- und Warenhäusern in unmittelbarer Nähe –, kann man ihn nur schwer umbauen oder gar abreißen. In seiner Nähe, an der Steinstraße, ist St. Jacobi gelegen. Auch diese Kirche wurde in den Bombennächten des letzten Krieges fast völlig zerstört. Sie ist aber wiederaufgebaut, und ihre Arp-Schnitger-Orgel, die größte und schönste, die es von diesem Meister noch gibt, lockt Freunde sakraler Musik aus aller Welt an.
Nicht weit von St. Jacobi liegt die Kirche St. Katharinen, die im Krieg ebenfalls sehr gelitten hat. Ihr neuer barocker Turm, der sich als Mittelpunkt über einem alten Kaufmannsviertel erhebt, gleicht bis in die Einzelheiten dem alten, den der Baumeister Peter Marquardt 1657 bis 1659 errichtet hatte. Die fünfte der Hauptkirchen ist St. Petri. Ihr markanter grüner Turm, zu dem 545 Stufen hinaufführen, ragt aus dem Häusermeer der inneren City an der Mönckebergstraße heraus.
Der sechste Turm in der Stadtsilhouette gehört dem Rathaus. Bevor wir uns aber diesem gewaltigen Sandsteinbau zuwenden, wollen wir uns zur Entspannung einen Schaufensterbummel gönnen. Der Standort ist günstig, wenn wir aus der Petrikirche, in der tagsüber oft Kurzandachten abgehalten werden, heraustreten. Die Mönckebergstraße ist die lebhafteste, aber nicht die eleganteste unter den hamburgischen Geschäftsstraßen. Der beliebteste Boulevard zum Flanieren ist nach wie vor der Jungfernstieg, obwohl man gerade dort, wo sich die Metropole am weltstädtischsten gibt, durch den Bau neuer Schnellbahnlinien häufig Unannehmlichkeiten in Kauf nehmen muß. Freilich ist Hamburg immer noch besser dran als die Bewohner der meisten anderen Großstädte in Europa, denn zwischen Elbe und Alster verkehrte schon vor dem Ersten Weltkrieg eine U-Bahn. Das Nahverkehrsnetz der Hansestadt ist heute eines der größten der Welt. Weil aber die Außenbezirke Hamburgs unaufhörlich wachsen, muß weiter gebuddelt werden, wie man hierzulande sagt.
Vom Jungfernstieg zweigen zwei berühmte und hochelegante Straßen ab: der Neue Wall und die Großen Bleichen. Hier und am Ballindamm, der wie der Jungfernstieg die Binnenalster begrenzt, findet man die teuersten und elegantesten Geschäfte: Delikatessenläden mit erlesenen Leckerbissen, Juweliere mit den kostbarsten Schmuckwaren, Modesalons und Schuhgeschäfte mit den exklusivsten Modellen.
Schaufensterbummel macht müde – nicht nur die Männer. Wer die Pause mit dem Besuch eines Cafés verbinden will, das gleichsam eine hanseatische »Institution« ist, sollte sich im Alsterpavillon eine Torte genehmigen. Hier sitzen die Damen der Hamburger Gesellschaft und die schlichten Hamburgerinnen nach dem Einkauf einträchtig beisammen. Inderinnen im Sari, Damen aus Kamerun oder Korea in der Nationaltracht, Hausfrauen aus den bürgerlichen Stadtteilen Hamburgs – eine Mischung, deren Originalität durch die hanseatische Kaffeehausatmosphäre mit gediegener 5-Uhr-Tee-Musik unterstrichen wird. Im Alsterpavillon wird alles gesprochen: englisch und japanisch, schweizerisch und schwedisch, vor allem aber echt hamburgisch. Das klingt so, wie es auch der »Quiddje« – wie der auswärts Geborene oder Wohnende von den »richtigen« Hamburgern genannt wird – von den berühmten Klein-Erna-Witzen kennt. Diese spaßigen Geschichten wirken freilich nur originell, wenn sie ein Hamburger vorträgt. Wenn sich im Alsterpavil-

lon oder in einer anderen Konditorei der Innenstadt zwei Hamburgerinnen über kulturelle Dinge unterhalten, erinnert das oft an die berühmte Anekdote von Frau Puvogel, die sich mit Frau Kripgans im Theater bei einer Aufführung des »Faust« verabredet hatte. Frau Kripgans kam erst nach dem ersten Akt an und fragte außer Atem: »Was war denn bis jetzt?« Daraufhin Frau Puvogel gelangweilt: »Och, bis jetzt kein Sinn in!«

Zwischen Jungfernstieg und Rathaus haben die Städtebauer die Alsterarkaden gesetzt, venezianisch anmutende Bögen von lieblicher Schönheit, die im herben Norden immer heraussticht. Das Rathaus ist zwar noch nicht viel älter als dieses Jahrhundert, aber die Hanseaten haben ihm in ihrem ausgeprägten stadtstaatlichen Bewußtsein einen Platz eingeräumt, als werde unter seinem Dache schon seit einem Jahrtausend hamburgische Politik betrieben. Die Architektur des Rathauses – wuchtige deutsche Renaissance – ist imponierend. Die Fundamente ruhen auf 4000 Pfählen, was Spötter immer wieder zu der Bemerkung veranlaßt, die Weltbürger Hammonias seien eigentlich Pfahlbürger.

Ein Rundgang durch die teils pompösen, teils hanseatisch-gediegenen Säle und Stuben offenbart auch dem Fremden etwas vom Bürgersinn der Hamburger. Exzentrisches findet man nicht. Alles sieht würdig, respekteischend, teuer aus. So mag man es in der Hansestadt.

Ein »Ehrenhof« genannter Platz mit einem Springbrunnen, den man meistens vor lauter schwarzen Limousinen kaum sieht, verbindet das Rathaus mit Börse und Handelskammer. Der gemeinsame Gebäudekomplex vereint die politische Verwaltung mit dem Brennpunkt weltweiter Handelsbeziehungen. Hamburg ist der älteste Börsenplatz Deutschlands und nach Frankfurt noch heute der wichtigste. Über Hammonia, die Schutzgöttin der Elbhanseaten, hat Siegfried Lenz einmal gesagt, sie sei eine reife Frau, auch als Göttin nur Bürgerin unter Bürgern, die Tee mit Rum dem Nektar vorziehe und ihre Mitbürger zu korrektem Handelssinn, zu nobler Trägheit und Genügsamkeit anhalte. Hamburg mag Merkurs eigene Stadt sein. Die räumliche Verbindung zwischen Rathaus und Börse mag durchaus Symbolkraft haben. Aber ganz sicher stimmt nicht, was von der Musenfeindlichkeit der »vernünftigen« Hamburger immer wieder kolportiert wird. An der Elbe mag man sachlicher sein als an der Isar oder an der Spree. Alles in Hamburg ist eben gemäßigter als anderswo: Selbst das swingende Hamburg mit seinen Pubs und Beatschuppen, mit seinen Galerien und Boutiquen paßt sich dem Charakter der Stadt an, indem es nie Gefahr läuft, überzusprudeln.

Hamburg ist gleichwohl eine Metropole, in der die Musen sich stets, mit Bürgerbrief versehen, eines Renommees erfreuten, das nach wie vor weltweite Ausstrahlung hat. Die Staatsoper näherte sich unter ihren Intendanten Rennert und Liebermann im Ruf der New Yorker Met, der Mailänder Scala, der Wiener Staatsoper. Wie dem auch sei, ein Superlativ bleibt unbestritten: die hamburgische Oper ist die älteste in Deutschland. Sie geht auf das Musiktheater von 1678 zurück, an dem später Händel, Telemann, Gluck und Mahler wirkten.

Das Zentrum des konzertanten Schaffens in Hamburg ist die Musikhalle, eine Stiftung des Reeders Laeisz, dessen Schiffe einst als »Flying-P-Liner« die Weltmeere kreuzten. In dieser Halle kann man die besten Orchester hören: das Philharmonische Staatsorchester unter seinem Dirigenten Sawallisch, die Hamburger Symphoniker und das Sinfonieorchester des Norddeutschen Rundfunks, das von Schmidt-Isserstedt geleitet wird.

Europäischen Rang haben auch die Sprechbühnen der Hansestadt. Am Schauspielhaus, dem Hauptbahnhof vis-à-vis, ist Gustaf Gründgens unvergessen. Er war es vor allem, der dieses Theater durch seine vollendeten Inszenierungen berühmt machte. Von seinen Qualitäten als Schauspieler und Intendant schwärmen die Hamburger noch heute. Das Thalia-Theater war noch vor einem Jahrzehnt der Musentempel der netten alten Damen, die ins Theater gingen, wenn die Abonnementkarte sie dazu aufrief. Das hat sich gründlich gewandelt. Thalia-Theater und Schauspielhaus sind heute ebenbürtige, weit über Deutschlands Grenzen bekannte Bühnen. Den Kammerspielen unter der Leitung von Ida Ehre verdanken die Hamburger herrliche Aufführungen; hier wird – neben großem Theater – nicht selten blutvolles Boulevardtheater gespielt. Auch das »Junge Theater« an der Mundsburg, das – wie schon der Name sagt – noch nicht auf eine große Tradition zurückblickt, hat sich unter Friedrich Schütter einen guten Ruf erspielt. Das »Theater im Zimmer« wird von literarischen Individualisten bevorzugt, während sich die beiden niederdeutschen Bühnen – von denen das Ohnsorg-Theater durch das Fernsehen weit über Hamburg hinaus populär geworden ist – dem volkstümlichen Repertoire verschrieben haben. Zum vielfältigen kulturellen Leben in Hamburg gehören auch die Museen, wie z. B. das Museum für Hamburgische Geschichte, das Völkerkundemuseum und das Museum für Kunst und Gewerbe am Hauptbahnhof. Die Kunsthalle, die sich durch große Sonderausstellungen und laufende Neuerwerbungen einen ausgezeichneten Ruf erworben hat, der Kunstverein, das neue Kunsthaus, die Bibliotheken und die Galerien lohnen den Besuch.

Das junge Hamburg trifft sich in den Op- und Pop-art-Galerien und in den zahlreichen spritzig-originellen Studentenkneipen in Pöseldorf, Eppendorf oder in den westlichen Vororten. Die skurrilen Malereien und Zeichnungen des arrivierten Außenseiters Horst Janssen sind inzwischen auch in München und Düsseldorf zu einem Begriff geworden. Jazzfans haben, obwohl ihre große Zeit mit dem Abklingen der Oldtime-Welle seit den sechziger Jahren vorbei ist, nach wie vor ihre Domizile an der Elbe. Nicht selten sind prominente Jazzkünstler – vor allem aus Skandinavien und den angelsächsischen Ländern – in Hamburg zu Gast.
Hamburg ist Sitz zahlreicher renommierter Buchverlage. Hier erscheinen auch die auflagenstärksten Zeitungen und Zeitschriften des Kontinents. Die Produktionsanlagen für Film, Fernsehen und Schallplatten sind die weitaus größten in der Bundesrepublik. Jährlich werden 1200 Musiktitel in Rillen gepreßt. Mit mehr als 300 Produktionen von Theaterstücken, Fernsehspielen und Filmen liegt Hamburg in Deutschland mit Abstand an der Spitze.

Wenn sich auch das geistige Leben in Hamburg unter anderen Bedingungen als etwa in München oder Berlin abspielt, so ist die spezifische Atmosphäre dieser Welthafen- und Welthandelsstadt doch keineswegs hemmend für das schöpferische Gestalten. Gründgens hat das erkannt, als er schrieb: »Die Grundlage des Hamburgers zu kulturellen, zu geistigen und künstlerischen Dingen scheint mir Toleranz zu sein. Leider wird Toleranz oft mit Indifferenz verwechselt.«
Temperament orientiert sich in Hamburg an der Vernunft. Wo soll Raum sein für Leidenschaften, wenn die Dimensionen von Ozeanen und Kontinenten bestimmt werden? Kompromißloser Pragmatismus ersetzt an der Elbe die Leidenschaft. Er hat die Hamburger noch mit jedem Krieg, mit jeder Katastrophe fertig werden lassen. Geschicktes Lavieren zwischen den Herrschern Europas zahlte sich für Hamburg aus. Unversehrt ging es aus dem Dreißigjährigen Krieg hervor, der das übrige Deutschland in Schutt und Asche gelegt hatte. Spätere Ereignisse forderten dafür um so schmerzlicheren Tribut. Nach der Französischen Revolution hatte sich ein bedeutender Teil des niederländischen und französischen Handels nach Hamburg verlagert. Mit der Besetzung der Stadt durch die Franzosen im Jahre 1806 fand dieser wirtschaftliche Aufschwung aber vorerst ein recht abruptes Ende. Die Kontinentalsperre und die englische Elbsperre unterbanden jeglichen Seeverkehr. 1810 wurde Hamburg gar Frankreich einverleibt. Damals hatte die Elbstadt schon über 100000 Einwohner. Bis zum Mai des Jahres 1814 blieben die Franzosen unter ihrem brutalen General Louis Nicolas Davout in der zur starken Festung ausgebauten Stadt.

Ein anderer, sehr schwerer Schlag für Hamburg war der Große Brand. Die ersten Maitage des Jahres 1842 waren warm und das Frühjahr ungewöhnlich trocken gewesen. Am Morgen des 5. Mai setzte ein frischer Südwind ein, der später auf West drehte. In einem Speicher an der Deichstraße im alten Nikolaikirchspiel brach Feuer aus. Aus diesem Dachstuhlbrand wurde ein Feuersturm, der vier Tage dauerte. Die Wehren waren machtlos. Sie sprengten Häuser, um Schneisen in das Flammenmeer zu brechen. Aber niemand konnte verhindern, daß die Altstadt fast in ihrer gesamten Ausdehnung niederbrannte. Planmäßig und mit dem Bestreben, eine moderne Großstadt zu schaffen, baute man die Stadt wieder auf. In der zweiten Hälfte des 19. Jahrhunderts stand Hamburg blühender, schöner und moderner da denn je, bis die Stadt 1892 von einer Choleraepidemie heimgesucht wurde. Im dichtbevölkerten Gängeviertel in der Neustadt und in den alten »Höfen« des Jacobikirchspiels starben 8605 Menschen.

Keiner dieser Schicksalsschläge aber läßt sich mit den Folgen der beiden Weltkriege vergleichen. Nach den Bombenangriffen des Jahres 1943 waren zwei Drittel aller Wohnungen, fast alle Hafenanlagen, die meisten Schulen, Krankenhäuser und Betriebe, zahlreiche Kirchen, Theater und Museen zerstört. Wer sah, wie die Wracks von mehr als 3000 Schiffen die Hafenbecken blockierten, glaubte nicht mehr daran, daß Hamburg jemals wiedererstehen würde.

Doch die Lebenskraft der Hamburger obsiegte. Die Wracks wurden beiseite geschoben, neue Schiffe auf Kiel gelegt. Wohnviertel verdrängten die endlosen Trümmerflächen. Heute ist Hamburg die größte Industriestadt der Bundesrepublik. Kupferhütten, Ölmühlen, Mineralölraffinerien, Schiffbau, Fischverarbeitung, Margarine- und Zigarettenproduktion, Kautschuk- und Asbestindustrie, elektro- und feinmechanische Betriebe und die kosmetische und chemische Industrie sind die bedeutendsten Zweige des florierenden Wirtschaftslebens. Wer kreuz und quer durch die sieben Bezirke der Zweimillionenstadt fährt oder geht, wird von den Spuren der Kriege und Katastrophen nur noch wenig entdecken.

Eine Oase inmitten des Häusermeers der Innenstadt ist der Park von Planten un Blomen. Diese Grünanlage – zusammen mit dem sich anschließenden Botanischen Garten – bietet dem Freund seltener Pflanzen ebenso wie dem erholungsbedürftigen Großstädter Ungewöhnliches. Wer auch ungewöhnliche Fauna zu schätzen weiß, den zieht es zu Hagenbeck, nach dem Stellinger Tierpark, in dem 1907 zum ersten Male auf der Welt wilde Tiere in parkähnlichen Freigehegen gezeigt wurden. Heute gehört der Zoo in Stellingen, in dessen Nähe sich eine der beiden Hamburger Moscheen befindet, zu den am schönsten angelegten und am besten ausgestatteten Tierparks der Erde.

Jeder der sieben Bezirke, in die Hamburg eingeteilt ist, hat die Einwohnerzahl einer bedeutenden Großstadt aufzuweisen. Im Süden, auf der anderen Seite der Elbe, liegt Harburg, eine Industriestadt mit nahezu hoffnungslos verbauter Innenstadt und besonders reizvoller Umgebung. So grau sich Harburg im Kern gibt, so grün ist seine Schale. Die Harburger Berge an der Landesgrenze zu Niedersachsen sind die einzigen nennenswerten Hügel, die Hamburg aufzuweisen hat. Ihr Waldgebiet ist trotz zunehmenden Ausflugsverkehrs und trotz einer neuen Autobahn, die sich fast wie der Alaska-Highway durch das weite Gelände schlängelt, noch immer so ursprünglich, daß man stundenlange Spaziergänge unternehmen kann, ohne jemandem zu begegnen.

Noch dichter und noch größer ist der Sachsenwald, der östlich der Hansestadt auf schleswig-holsteinischem Gebiet liegt. Der Bezirk Bergedorf, mit der geringsten Einwohnerzahl, aber mit der nach Harburg größten Ausdehnung, grenzt an den Sachsenwald, der noch immer im Besitz der Familie von Bismarck ist. Bergedorf ist ein sehr hübsches Städtchen, das sich wie kaum ein anderer Stadtteil seine Eigenart bewahrt hat. Schloß, Altstadt und moderner Stadtkern harmonieren recht gut miteinander. Die Vier- und Marschlande gehören zum Verwaltungsbezirk Bergedorf. Sie sind der Sammelbegriff für eine Handvoll stiller Dörfer, in denen Gemüse- und Blumenanbau im großen Stil betrieben wird.

Mit einer halben Million Einwohner ist der Bezirk Nord der am dichtesten besiedelte. Eppendorf – berühmt durch die Universitätsklinik – und Winterhude mit seinem großen Stadtpark gehören dazu; Barmbek mit dem größten Einkaufszentrum Europas; Fuhlsbüttel mit dem Flughafen. Der Bezirk reicht bis an die nördliche Stadtgrenze bei Langenhorn, wo nur die Hinweisschilder deutlich machen, daß er nahtlos in die neue Reißbrettstadt Norderstedt übergeht, die zum holsteinischen Kreis Segeberg gehört.

Wer aus nordöstlicher Richtung kommt – zum Beispiel über die Autobahn aus Lübeck –, für den ist der Bezirk Wandsbek das Einfallstor nach Hamburg. Der Name der früher selbständigen Stadt wurde schon Ende des 18. Jahrhunderts weithin bekannt durch Matthias Claudius, der den »Wandsbecker Boten« herausgab, eine Zeitung, die durch seine eigenen Beiträge und die von Lessing, Herder und Klopstock über den engen Rahmen eines Lokalblättchens hinauswuchs. Auch Wandsbek hat, wie jeder hamburgische Bezirk, sachlich-nüchterne Zentren, große Grünanlagen, stille Villenviertel und kleine Flüßchen – die Wandse gehört dazu, die der Stadt ihren Namen gab. Der Omnibusbahnhof sorgt für den lokalen Superlativ: er ist der modernste in Deutschland.

Zum Bezirk Wandsbek gehören die ausgedehnten Wohnviertel von Rahlstedt, die noch immer wachsen, sowie das beliebte Erholungs- und bevorzugte Wohngebiet der Walddörfer mit einer Vielzahl idyllischer Ortsteile.

Eimsbüttel ist ein fast zentral gelegener Bezirk mit nahezu 300 000 Einwohnern. Seine Reize liegen in seinen Kontrasten. Da ist Harvestehude, das Villenviertel an der Außenalster, das einst als vornehmste Wohngegend galt, bis Versicherungen und Verlage, Konsulate und Institute die Reeder und Großkaufleute ein wenig verdrängten. Sein Ruf als Domizil der Privilegierten hat sich dennoch hartnäckig gehalten, wie sich an den Miet- und Kaufpreisen für Wohnungen und Häuser ablesen läßt.

Aber nicht weit von Harvestehude und dem sich anschließenden großbürgerlichen Viertel Rotherbaum liegt das Eimsbüttel der kleinen Leute, ein Beispiel farbigen, urbanen Lebens, ein Kaleidoskop fast aller Bevölkerungsschichten und Baustile. Im Westen grenzt Eimsbüttel an Altona. Da bisher noch kein Professor die wissenschaftlich exakte Herkunft des

Namens Altona erklären konnte, bleibt es vorläufig bei der Auslegung, der Begriff rühre aus dem Stoßseufzer »All to nah«, also »allzu nahe« — und zwar an Hamburg —, her. Wie Wandsbek, Bergedorf und Harburg war auch Altona jahrhundertelang eine selbständige Stadt, deren Eigenständigkeit zuweilen von Dänenkönigen und Preußenherrschern stärker eingeschränkt wurde, als dies seit der Vereinigung mit Hamburg der Fall ist. Erst danach konnte endlich der Ausbau der hamburgischen und der Altonaer Häfen gemeinsam konzipiert werden. Und endlich war auch das Ärgernis beseitigt, das Kauf- und Schiffahrtsherren dem hamburgischen Fiskus bereitet hatten, indem sie sich in den schloßähnlichen Villen an der Elbchaussee und in den Elbvororten niederließen, wo sie ihre in Hamburg verdienten Steuern an die Altonaer Stadtkasse zahlten. Denn die Elbgemeinden waren schon früh von Altona eingemeindet worden. Sie gehören heute zum Bereich des Bezirksamtes Altona und sind zum Teil noch immer Sitz begüterter Hamburger. Nur fließen jetzt alle Steuern in eine Kasse — in die hamburgische.

Der Bezirk Mitte reicht von der Innenstadt nach Osten bis Billstedt. Zu ihm gehört das gesamte Hafengebiet einschließlich der früher einmal romantischen Elbinsel Finkenwerder. Die Einteilung der Zweimillionenstadt in Bezirke spielt für das Selbstverständnis ihrer Bewohner keine so bedeutende Rolle, wie das etwa in Berlin der Fall ist. Kein Hamburger wird sagen, er wohne im Bezirk Nord, wenn er in Winterhude wohnt, oder im Bezirk Mitte, wenn er in Horn, in Nähe der Pferderennbahn, sein Haus hat. Und auch wer in den grünen Vierteln Eissendorf, Heimfeld oder Sinstorf wohnt, wird erst zur näheren Erläuterung hinzufügen, daß diese Stadtteile zum Bezirk Harburg gehören.

Beim Bummel durch Hamburg werden hier und dort vielleicht Hinweise auf die große Flut des Jahres 1962 auffallen, an den Landungsbrücken in St. Pauli, in den Elbvororten oder in Wilhelmsburg. Das Hochwasser des Februars 1962 traf die Stadt mit einer Wucht, die niemand vorhersehen konnte. Nach dem Kriege war es der schwerste Rückschlag für die große Stadt. In den Straßen einer modernen Metropole, hundert Kilometer vom Meer entfernt, schwammen Menschen um ihr Leben. Mehr als dreihundert Hamburger unterlagen in diesem Kampf mit dem Tode.

Trotz vieler Rückschläge blieb Hamburg stets eine Weltstadt von seltenem Format. Wer diese Stadt und die Wesensart ihrer Bewohner zu begreifen sucht, muß an den Hafen gehen, muß die Melodie des großen Stroms in sich aufnehmen, muß dabeisein, wenn an den Kais die Waren aus Übersee gelöscht werden. Wenn die tiefen Töne der Schiffshörner über die Elbe bis in die entfernten Stadtteile dröhnen, wird man vielleicht spüren, wo die Kraft dieser großen, einzigartigen Stadt liegt.

«Ost-West-Straße» (Calle Este-Oeste)

La ancha y frecuentada calle «Ost-West-Straße» se extiende como una vereda por la parte más concurrida del centro hamburgués. Su trazado significó hace algunos años la desaparición de grandes áreas del viejo Hamburgo. Pero poco después de la terminación de la arteria cuidadana más importante entre el Deichtor y el Millerntor, los planificadores tuvieron que constatar que la calle no estaba ya a la altura del creciente tráfico. Desde entonces, en la «Ost-West-Straße» se ocasionan atascos casi a diario. Sólo la «West-Tangente», una autopista cuya parte más importante está representada por el nuevo tunel bajo el Elba entre Neumühlen y Waltershof, puede descongestionar algo la arteria entre este y oeste de la city.

Junto al Millerntor se halla el rascacielos de una compañía de seguros. En el piso más alto, un restaurante tipo clup. Desde aquí, el fotógrafo ha captado esta toma. No son los rascacielos con sus monótonas fachadas los que llaman la atención, sino las torres. Sobre todo el Michel, símbolo de la Ciudad Libre del Hansa, da al panorama el carácter típico hamburgués. Hacia el centro se elevan las torres de St. Nikolai y St. Katharinen y hacia la izquierda la de St. Petri y la del ayuntamiento.

Toma 1

The East-West Road

The wide and busy Ost-West-Strasse (East-West Road) runs like a forest-cutting through the most congested part of Hamburg's centre. Only a few years back large areas of the old quarters of Hamburg had to be pulled down to make way for this road. But shortly after the completion of this most important axis in the town centre between the Deichtor and the Millerntor the town planners realised that the road could hardly cope with the rapid increase in the density of traffic. Since then traffic jams are an almost daily occurrence on the East-West Road. Only the West Tangent – a motorway whose most important section is the new Elbe Tunnel between Neumühlen and Waltershof – can relieves the axis between the east of the centre and the west. The high office block of an insurance company stands at the Millerntor. From the top floor, a club-like restaurant, this view is to be seen. It is not the tall buildings with their monotonous facades that attract the eye, but the towers. The Michel, the landmark of the Free and Hanseatic City, in particular, gives this panorama its typically Hamburg character. In the centre rise up the towers of St. Nikolai and St. Katherinen, to the left those of St. Petri and the Town Hall above the sea of houses.

Picture 1

Ost-West-Straße

Die breite und verkehrsreiche Ost-West-Straße zieht sich wie eine Schneise durch den belebtesten Teil der Hamburger Innenstadt. Vor wenigen Jahren erst mußten ihr weite Gebiete des alten Hamburg weichen. Aber schon bald nach der Vollendung dieser wichtigsten innerstädtischen Achse zwischen dem Deichtor und dem Millerntor stellten die Stadtplaner fest, daß die Straße dem rapide gestiegenen Verkehr kaum noch gewachsen war. Fast täglich ist die Ost-West-Straße seither verstopft. Erst die West-Tangente – eine Autobahn, deren wichtigstes Teilstück der neue Elbtunnel zwischen Neumühlen und Waltershof ist – entlastet die Achse zwischen dem Osten der City und dem Westen. Am Millerntor steht das Hochhaus einer Versicherungsgesellschaft. Vom obersten Stockwerk, einem Restaurant mit Club-Charakter, hat man diesen Blick, den der Fotograf mit der Kamera festhielt. Nicht die Hochhäuser mit ihren abwechslungslosen Fassaden ziehen das Auge auf sich, sondern die Türme. Vor allem der Michel, das Wahrzeichen der Freien und Hansestadt, verleiht diesem Panorama das typisch hamburgische Gepräge. In der Mitte erheben sich die Türme von St. Nikolai und St. Katharinen, links der von St. Petri und der des Rathauses aus dem Häusermeer.

Bild 1

DEUTSCHER RING
WERNER JÖRN

SHELL

Landungsbrücken bei Nacht

Ein faszinierendes Panorama: die Landungsbrükken und dahinter das weite Gelände des Hamburger Hafens am Abend. Hier gehen niemals die Lichter aus. Der Hafen der Elbemetropole ist bei den seefahrenden Nationen aller Länder wegen des enormen Arbeitstempos, das dort herrscht, geschätzt. Um diesen Ruf nicht zu verlieren, müssen die Schauerleute und die vielen anderen Hafenarbeiter, die zum reibungslosen Laden und Löschen der Frachtschiffe beitragen, »rund um die Uhr« arbeiten. Vor den Landungsbrücken, deren markantester Punkt der Uhrturm von St. Pauli ist, donnern in kurzen Abständen die U-Bahnen, die an dieser Stelle zu Hochbahnen werden, am Hafen entlang.

Wie einige der Brücken, die zu den Schwimmpontons hinunterführen, ist auch der Elbtunnel von einem quadratischen Kuppelbau gekrönt. Er wurde 1907 bis 1911 erbaut und verbindet das nördliche Elbufer mit Steinwerder, einem Hafengebiet, auf dem vor allem die großen Werften ihren Platz haben. Der Tunnel, der unter der hier zwölf Meter tiefen und etwa 450 Meter breiten Elbe hindurchführt, vermag aber den Verkehr kaum noch zu entlasten. In wenigen Jahren wird daher im Zuge der westlichen Umgehungsautobahn ein zweiter, viel breiterer Elbtunnel das Ufer von Neumühlen mit dem neuen Hafengelände auf der Halbinsel Waltershof verbinden.

Bild 2

Landing Stages by Night

A fascinating panorama: the landing stages and, beyond, the vast area of the Port of Hamburg in the evening. Here the lights never go out. The port of the Elbe metropolis is held in high esteem by the world's seafaring nations on account of the fast pace at which work goes on. In order to maintain their reputation the longshoreman and the many other dock workers who contribute towards the smooth-running of the loading and unloading of the freighters have to work round the clock. The underground railways, which at this point run overhead, thunder at short intervals along the port in front of the landing stages, whose most outstanding landmark is the Clock Tower of St. Pauli.

Like many of the connecting bridges which run down to the pontoons, the Elbe Tunnel is also crowned by a square-based dome. It was built from 1907 to 1911 and connects the northern bank of the Elbe with Steinwerder, an area of the port where most of the major docks are to be found. The tunnel, which passes at this point under the 36 foot deep and almost 500 yard wide Elbe, is scarcely able any longer to relieve the traffic. In a few years therefore a second, much wider, Elbe Tunnel will be built as part of the western by-pass motorway to connect the Neumühlen with the new area of the Port on the Waltershof peninsula.

Picture 2

Los muelles por la noche

Un panorama fascinador: los muelles y al fondo la amplia zona portuaria al atardecer. Aquí nunca se extinguen las luces. El puerto de la metrópoli del Elba es conocido y apreciado por todas las naciones marítimas, debido a su enorme capacidad de trasbordo. Para conservar este renombre, los estibadores y los otros muchos obreros portuarios, que contribuyen a la fluída carga y descarga de los buques mercantes, deben trabajar las 24 horas del día. Ante los muelles, cuyo punto más destacado es la torre de reloj de St. Pauli, pasan en cortos espacios los trenes subterráneos, bordeando el puerto y haciéndolo en esta parte sobre nivel.

Al igual que algunos de los muelles que conducen hacia los pontones flotantes, también el túnel que pasa por debajo del Elba está encabezado por una edificación cuadrada, coronada por una cúpula. Fué construído entre 1907 y 1911 y enlaza la orilla norte del Elba con Steinwerder, una parte del puerto, en la que están situados sobre todo los grandes astilleros. El túnel cruza el Elba, que tiene aqui doce metros de profundidad y 450 m de ancho, y ya apenas es capaz de absorber el tráfico. Dentro de pocos años será construído juntamente con la autopista occidental de circunvalación un segundo túnel de mayor dimensión bajo el Elba, que enlazará la orilla de Neumühlen con la nueva zona portuaria de la península de Waltershof.

Toma 2

Recorrido por el puerto y los atracaderos. Al fondo el muelle internacional.

Un recorrido por el mayor puerto marítimo de Alemania, que a su vez es uno de los lugares de trasbordo de mayor importancia mundial, pertenece a las atracciones de la ciudad hanseática, que apenas un visitante se pierde y que muchos hamburgueses aprovechan continuamente. Los hombres que con ayuda del megáfono o del micrófono dan sus explicaciones, son denominados en la zona costera «He lücht.» Literalmente, ésto en alemán significa «él miente.» Pero los simpáticos hombres con el amplio dialecto hamburgués no mienten. Eso si, exageran un poco, y lo hacen sobre todo porque es lo que de ellos se espera. De improviso comienzan a parlotear en bajo alemán y cuentan sus anécdotas con sabor a puerto, mar, viento y olas. Pero también facilitarán al visitante y al hamburgués una serie de informaciones interesantes, aparentemente inverosímiles, pero veraces. Cuanto menores son las lanchas, con las que se recorren las numerosas dársenas, tanto más puede el «Schipper» — es decir, el hombre que maneja el timón, acercarse a la proa de los superpetroleros, de los barcos de recreo junto al muelle de ultramar (uno de ellos puede apreciarse en esta toma) y de los grandes barcos mercantes.

A Trip round the Port. Landing Stages with the Überseebrücke in the Background of the Picture

A trip round Germany's largest marine port, one of the most important transshipment ports in the world, is Part of the attraction of the Hanseatic town which hardly any visitor misses out and which even many local people enjoy time and time again. The men with a megaphone or microphone in their hand who explain everything are called "He lücht" in this part of the world. This is a dialect word for "he is lying," if we take it literally. But they don't lie, these likeable men with their broad Hamburg intonation, they only like to brag a little. And the main reason why they do this is that it is expected of them. They occasionally prattle in the Low German dialect and tell a few "Döntjes;" these are anecdotes which smack of the sea, the port, wind and waves.

But they also provide the guest and the local tripper with a mass of interesting information, which often sounds incredible, but which is true. The smaller the launch is in which you can cruise through the many docks, the closer the "Schipper"—that is the man at the tiller—can steer underneath the bows of the supertankers, the pleasure steamers at the Überseebrücke (Overseas Landing Stage) — one of which can be seen in our picture — and the great freighters.

Hafenrundfahrt. Landungsbrücken mit Überseebrücke im Bildhintergrund

Eine Rundfahrt durch den größten Seehafen Deutschlands, einen der bedeutendsten Umschlagsplätze der Welt, gehört zu den Attraktionen der Hansestadt, die kaum ein Besucher ausläßt und die auch viele Hamburger immer wieder gern nutzen. Die Männer mit dem Megaphon oder dem Mikrophon in der Hand, die alles »verklaren«, wie man an der Küste sagt, werden »He lücht« genannt. Das heißt zwar auf hochdeutsch, wenn man es wörtlich nimmt, »er lügt« — aber sie lügen nicht, die sympathischen Männer mit dem breiten Hamburger Tonfall, sie flunkern nur ein wenig. Und sie tun das vor allem deshalb, weil man es von ihnen erwartet. Sie »schnacken« auch mal plattdeutsch zwischendurch und erzählen einige »Döntjes«; das sind Anekdoten, die nach Meer, Hafen, Wind und Wellen schmecken.

Aber sie werden dem Gast und dem Hamburger auch eine Fülle interessanter Informationen liefern, die oftmals unglaublich klingen, aber wahr sind. Je kleiner die Barkassen sind, mit denen man durch die vielen Hafenbecken kreuzen kann, desto dichter kann der »Schipper« — der Mann am Ruder also — unter den Bug der Supertanker, der Musikdampfer an der Überseebrücke (von denen auf unserem Bild einer zu sehen ist) und der großen Frachtschiffe steuern.

afenrundfahrt
Schnellimbiss
Hamburg Cuxha
Helgoland Sylt

noack
noack

Fischmarkt

Vor mehr als hundert Jahren war der Fischmarkt in St. Pauli als das gegründet worden, was sein Name aussagt: als ein Markt- und Auktionsplatz für Fischhändler und Fischfänger. Fische werden auch heute noch angeboten – neben knitterfreien Zwei-Mark-Krawatten, neben Bildern mit Alpenglühen und röhrenden Hirschen, neben piepsendem und gackerndem Geflügel. Der Fischmarkt, jeden Sonntag zwischen 6 und 10 Uhr am Hafen abgehalten, ist schon manchmal mit dem Flohmarkt in Paris verglichen worden. Was das Skurrile, das Groteske, das Komische, das Ungewöhnliche, das Gewöhnliche im Sortiment angeht, so mag der Vergleich stimmen. Aber Hamburg liegt eben an der Elbe und nicht an der Seine. Der Wind ist rauher, die Luft salziger. Manchmal dröhnen die Nebelhörner der Schlepper und der großen Frachter über den Markt. Dann ist für einen Moment nicht zu verstehen, was der Mann ruft, der seine Bananen von einem Lastwagen anbietet und dabei nach Lust und Laune einzelne Früchte in die Menge wirft. Und das Publikum? Premierengäste aus der Staatsoper, die anschließend noch auf einer Party bis zum frühen Morgen waren, St.-Pauli-Bummelanten, Hafenarbeiter, Hausfrauen, die hier ihre Wochenration an frischem Gemüse einkaufen, Busladungen mit Touristen aus der Steiermark, aus Kopenhagen oder aus Tokio. Bunter geht's nimmer.

Bild 4

The Fish Market

The Fish Market in St. Pauli was established more than a hundred years ago. It is, as its name suggests, a market and auction place for fishmongers and fishermen. Fish are still sold there—but so are crease-resistant ties for a couple of marks, alongside pictures of Alpine sunsets and bellowing stags and chirping and cackling birds. The Fish Market, held at the port every Sunday between six and ten, has often been compared to the Flea Market in Paris. As far as the ludicrous, the grotesque, the comic, the uncommon and the common place nature of the goods on sale here is concerned there may be something in the comparison. But Hamburg lies on the Elbe and not on the Seine. The wind is rawer, the air saltier. Sometimes the fog horns of the tugs and the huge freighters boom across the market. At such moments it is impossible to understand what the man is crying who is selling his bananas from a lorry, throwing fruit into the crowd as the fancy takes him. What sort of people come here? Some have been to a première at the State Opera and then on to a party until the early morning, strollers through St. Pauli, dock workers, housewives buying their week's supply of fresh vegetables, bus-loads of tourists from Austria, from Copenhagen or from Tokyo. It would be difficult to find a more varied crowd.

Picture 4

El Mercado de Pescado (Fischmarkt)

Hace más de cien años fue fundado en St. Pauli el mercado de pescado, siendo en aquel entonces lo que su nombre expresaba: un lugar en el que pescadores y vendedores podían subastar y comercializar sus mercaderías. También en la actualidad se ofrece la venta de pescado, pero juntamente con corbatas inarrugables que se venden a dos marcos, con cuadros representando el rosicler de los Alpes y ciervos que braman, así como pipiantes y cacareantes aves de corral. El mercado de pescado tiene lugar todos los domingos entre las 6 y las 10 horas en la zona del puerto y ya algunos lo han comparado con el «mercado de pulgas» de París. En lo que respecta a lo chocante, grotesco, raro, deshabitual y a lo ordinario de la oferta, puede que la comparación sea correcta. Pero Hamburgo se encuentra junto al Elba y no al borde del Sena. El viento es más áspero, el aire más salado. A veces resuenan las sirenas de los remolcadores y las de los grandes buques de carga por el mercado. Entonces el vocifereo del hombre que ofrece sus plátanos desde un camión arrojando a su gusto algunos de ellos entre la muchedumbre, se hace por momentos ininteligible. Y el público? Acuden espectadores de las funciones de estreno de la ópera estatal, que estuvieron de juerga hasta la madrugada, además trasnochadores de St. Pauli, obreros portuarios, amas de casa que adquieren aquí su ración semanal de verdura fresca, autobuses repletos de turistas del Tirol, de Copenhague o de Tokio. Imposible más variedad.

Toma 4

Willkommhöft

Toques de clarín acompañados por fragmentos del «Holandés errante» nos llegan a través del ancho río. Esto, musicalmente, nos hace recordar que la «Ciudad de Hamburgo a la vega del Elba está situada.» Y seguidamente la cosmopolita ciudad portuaria saluda a su huésped con gentileza marinera: sobre un mástil dispuesto en una instalación ante las puertas de Hamburgo, en Schulau, exclusivamente para el saludo de los barcos, la bandera federal es izada repetidas veces. Mediante un equipo de altavoces es transmitido hacia bordo el himno correspondiente a la nacionalidad del barco que va pasando. Allí, esta forma de saludo es registrada con añoranza y emoción. El saludo es devuelto con repetidas izadas de bandera, así como con tres graves toques de sirena dirigidos a tierra. Sigue una explicación acerca del barco que en este momento ha pasado Willkommhöft, de donde proviene, el tiempo que durará presumiblemente su estadía en el puerto de Hamburgo, la carga que porta, sus dimensiones y el armador al que pertenece. Esta disposición ideada en 1952 en Schulau/Wedel en combinación con un local gastronómico, le ha significado al mayor puerto alemán muchas simpatías. Hoy, el «Welcome-Point», como es llamado por los marinos, se encuentra referenciado en todas las cartas navales del Elba; una reverencia dedicada a una idea en pro de la unificación de los pueblos.

Willkommhöft (Welcome Point)

The sound of fanfares with fragments from the "Flying Dutchman" drift across the vast expanse of river. Then it is recalled, in the words of a popular song, that "The town of Hamburg lies on the Elbe meads." And then this seaport of world-renown pays its respects to its guest in a friendly naval way: the Federal flag is run up and down the tall mast of the ship-welcoming centre at Schulau at the gateway to the Hanseatic town several times. The national anthem of the ship which is just arriving is played across the water. On board home-sickness and nostalgia at a welcoming of this kind are suppressed. The flag is also dipped and three muffled tones are sent ashore by the steam-whistle. An explanation is now being given there as to which ship has just passed "Willkommhöft," where it has come from, how long it is expected to stay in the Port of Hamburg, what sort of cargo it is carrying, how big it is and who its owner is. This welcoming-point, linked up with a ship's supply store in Schulau near Wedel in 1952, has created much good-will for the largest German port. Today the "Welcome Point," as the seamen call it, can even be found on all the official sea charts of the Elbe; a tribute which was paid to an idea originally conceived to bring the nations closer.

Willkommhöft

Fanfarenklänge mit Musikfetzen aus dem Fliegenden Holländer wehen über den großen Strom. Dann wird, ebenfalls musikalisch, daran erinnert, daß die »Stadt Hamburg an der Elbe Auen« liegt. Und dann verneigt sich die Welthafenstadt vor ihrem Gast auf maritim-liebenswürdige Weise: die Bundesflagge wird »gedippt«, das heißt, sie wird am großen Mast der Schiffsbegrüßungsanlage von Schulau vor den Toren der Hansestadt, mehrmals auf und niedergeholt. Ein Lautsprecher schickt die Nationalhymne des gerade aufkommenden Schiffes hinüber an Bord. Dort werden Heimweh und Rührung über eine solche Begrüßung unterdrückt. Man dippt gleichfalls die Flagge und schickt drei dumpfe Töne mit der Dampfpfeife an Land. Dort wird jetzt erklärt, welches Schiff eben »Willkommhöft« passiert hat, woher es kommt, wielange es voraussichtlich im Hamburger Hafen bleibt, was es geladen hat, wie groß es ist und wem es gehört. Diese Einrichtung, 1952 in Schulau bei Wedel mit einem gastronomischen Betrieb gekoppelt, hat dem größten deutschen Hafen viel Sympathie eingebracht. Heute ist der »Welcome-Point«, wie er von den Fahrensleuten genannt wird, sogar auf allen amtlichen Seekarten des Elbstromes eingetragen; eine Reverenz, die einer völkerverbindenden Idee erwiesen wurde.

R

Övelgönne

Unter Hamburgkennern gilt der Elbuferweg von Övelgönne als ein Kleinod unter den vielen schönen Stätten der Hansestadt. Övelgönne — das ist steingewordene Tradition im besten Sinne: Kleine Häuschen in frischen Farben, mit winzigen Fenstern und großen hölzernen Läden davor, träumen am Rande des großen Stroms vor sich hin. Hinter diesen Fenstern sitzen vielfach alte Lotsen, Kapitäne, Seefahrer, die den »Kieker«, das große Fernglas, zur Hand nehmen und die Namen auf dem Bug der langsam vorbeiziehenden Frachter lesen. Sie kennen die Reedereiflaggen an den Masten der Schiffe, wissen oft, woher der »Pott« kommt und wohin er bald wieder auslaufen wird.

In den Vorgärten, die bis hinunter an den Fluß reichen, haben sie nicht selten Schiffsmasten aufgestellt als Gruß an die Fahrensleute, die sich vielleicht auch einmal hier oder anderswo in den Vororten an der Elbe zur Ruhe setzen werden. Selbst an den Wochenenden, wenn die Besucher kommen, geht von der zauberhaften Atmosphäre dieses kleinen Lotsenviertels nichts verloren. Man trinkt seinen Kaffee oder seinen Grog in den gemütlich-plüschig eingerichteten Kaffeehäusern, die versteckt zwischen den Kapitänshäusern liegen, und hofft, daß es niemals einem Stadtplaner einfallen möge, dieses Idyll zu zerstören.

Bild 6

Övelgönne

Connoisseurs of Hamburg regard the path along the bank of the Elbe at Övelgönne as a jewel among the many beauty spots in the Hanseatic town. Övelgönne — that is tradition turned to stone in the best sense of the word. Small houses freshly painted, with tiny windows and large wooden shutters in front, dream idly on the edge of the busy river. Behind these windows there often sit old pilots, sea captains and sailors, who pick up their Kiekers, large telescopes, to read the names on the bows of the slowly passing freighters. They know the flags of the shipping companies on the masts, often know where the tramp has come from and the destination for which she will shortly leave.

Many of them have set up ships' masts in the front gardens running down to the river, as a sign of welcome to the seamen who perhaps one day will retire here or somewhere else in the suburbs on the Elbe. Even at week-ends, when the visitors come, nothing of the enchanting atmosphere of this little pilots' quarter is lost. People drink their coffee or their grog in the elegantly but comfortably appointed coffee houses, which lie hidden between the captains' houses, and hope that no town planner will ever decide to destroy this idyll.

Picture 6

Övelgönne

Entre los conocedores de Hamburgo, el camino ribereño del Elba que lleva a Övelgönne es uno de los lugares más preciosos de la ciudad del Hansa. Övelgönne es tradición convertida en piedra, en el mejor de los sentidos. Pequeñas casitas de vivos colores con diminutas ventanas y grandes póstigos de madera parecen soñar al borde del gran río. Detrás de estas ventanas a menudo encontramos a viejos capitanes, marinos, o prácticos que recurren a los catalejos para distinguir los nombres inscritos en la proa de los buques mercantes que transcurren pausadamente. Ellos conocen los gallardetes de los armadores enarbolados sobre los mástiles y suelen saber cual es la procedencia del barco y el destino que tomará nuevamente. En los jardines posteriores que llegan hasta el río a menudo han instalado mástiles de barcos a guisa de saludo para los marinos que quizás un día también se retiren a este lugar o a otro suburbio junto al Elba. Durante los fines de semana, incluso cuando aparecen los visitantes, se mantiene el ambiente encantador de esta pequeña población de gente de mar. Sorbiendo café o grog en los placenteros y mullidos cafés escondidos entre las casas de los capitanes, se siente el deseo de que nunca a un planificador municipal se le ocurra destruír este idilio.

Toma 6

Terminal de containers

El transporte de mercancías en containers de dimensiones normalizadas aún es relativamente reciente. Sin embargo, en el gran puerto de Hamburgo la manipulación de éstas grandes cajas ya es una rutina. La fotografía aérea muestra las instalaciones de trasbordo de containers en la zona de Waltershofen del puerto. Estas instalaciones han sido dimensionadas de tal forma, que tampoco resulten anticuadas en el futuro. En una superficie de dos millones de metros cuadrados surgieron en colaboración cooperativa entre el Estado y empresas particulares las instalaciones que por sí solas ya pueden representar un puerto transatlántico de rango mundial. Lamentablemente, los barcos de visita al puerto no atracan siempre en el muelle Burchard, el terminal de containers, que muestra nuestra fotografía aérea. Si no son precisamente especialistas del ramo de transportes, los forasteros que visitan la ciudad hanseática sólo aprovechan muy raras veces la oportunidad de ver personalmente el mayor terminal de contenedores de Europa, perdiéndose con ello un fascinante espectáculo: sobre toda la enorme superficie circulan extraños vehículos sobre altas patas. Se llaman Van-Carrier y recuerdan vehículos espaciales de películas de cienca-ficción. Siete grúas de tamaño descomunal, llamadas puentes de containers, agarran las cajas metálicas y las estiban con exactitud milimétrica y de conformidad con un minucioso programa en barcos especiales alemanes y extranjeros.
En el terminal de containers de Hamburgo ya hace mucho tiempo que ha comenzado el futuro.
Toma 7

Container Port

Transporting goods in standardised containers is a fairly new idea. But in the international Port of Hamburg it is already a matter of routine to deal with these large-sized boxes. The opportunities they offered for the whole transport industry were quickly realised on the Elbe and soon put to good use.
Our aerial photograph shows the container facilities in the Waltershof group of ports, which were built on such a scale that they will not be out of date even the "day after tomorrow". Covering almost 500,000 acres, twice the area of the Island of Heligoland, facilities were built which in themselves represent a harbour for ocean-going vessels of international standing, as a result of close cooperation between the State and private enterprise.
Unfortunately round trips of the harbour do not take in the Burchard Quay, the container terminal of the *Hafen- und Lagerhaus AG,* of which our photo shows a bird's eye view. Visitors to the Hansa town far too rarely take the opportunity to visit Europe's largest container terminal on their own initiative. They miss a fascinating experience: long-legged vehicles are buzzing across the vast area. They are called van carriers and remind us of space vehicles from science fiction films. Seven huge cranes, called container bridges, grab the metal cases and stow them away onto special German and foreign ships with great precision and according to a closely-kept timetable.
The future started long ago at the Hamburg Container Terminal.
Picture 7

Containerhafen

Der Warenumschlag in genormten Großbehältern, in Containern, ist noch jung. Aber im Alltag des Welthafens Hamburg gehört der Umgang mit den großen Kisten schon zur Routine. Die Chancen für die gesamte Transportwirtschaft sind an der Elbe rechtzeitig erkannt und richtig genutzt worden.
Unser Luftbild zeigt die Containeranlagen in der Waltershofer Hafengruppe, die so dimensioniert wurden, daß sie auch „übermorgen“ noch nicht veraltet sein werden. Auf zwei Millionen Quadratmetern, der zweifachen Fläche der Insel Helgoland, entstanden in kooperativer Zusammenarbeit zwischen Staat und privater Wirtschaft Anlagen, die für sich allein einen Überseehafen von Weltrang repräsentieren.
Hafenrundfahrt-Boote machen leider nicht fest am Burchardkai, dem Container-Terminal der Hafen- und Lagerhaus AG, den unser Foto aus der Vogelperspektive zeigt. Die Gäste der Hansestadt, wenn sie nicht gerade Transportfachleute sind, nutzen viel zu selten die Gelegenheit, sich die größte Terminalanlage Europas auf eigene Faust anzusehen. Sie lassen sich ein faszinierendes Erlebnis entgehen: Hochbeinige Fahrzeuge surren über das gewaltige Areal. Sie heißen Van-Carrier und erinnern an Weltraumfahrzeuge aus Science-fiction-Filmen. Sieben überdimensionale Großkräne, Containerbrükken genannt, greifen die Blechkisten und verstauen sie millimetergenau und nach einem minuziös präzisierten „Fahrplan“ auf deutsche und ausländische Spezialschiffe. Am Hamburger Container-Terminal hat die Zukunft schon lange begonnen.
Bild 7

WL
ALSTER
ALSTER
HAMBURG
TIR
ECL.

Roll-on-roll-off-Schiff »Alster«

Reeder, Spediteure und die Hafenwirtschaft haben sich in Hamburg frühzeitig auf den technischen Wandel im Transport über See eingestellt. Das Bemühen, die Fazilitäten im Hamburger Hafen den jeweils modernsten Rationalisierungs-Erkenntnissen in der Transportwirtschaft anzupassen, sind sehr erfolgreich. Umschlagsanlagen und Schiffe werden auf bestimmte Warengruppen, auf einzelne Versandmethoden, auf unterschiedliche Bedingungen der Fahrtgebiete ausgerichtet. Im Verkehr nach Großbritannien und auch in die skandinavischen Länder war in den vergangenen Jahren ein erheblicher Zuwachs am sogenannten rollenden Gut registriert worden. Die Reaktion in Hamburg: Reeder gaben Spezialschiffe für den Transport rollender Ware in Auftrag, der Hafen stellte Spezialumschlagsanlagen für diesen Versand zur Verfügung. Die Rollanlagen unweit der citynahen Speicherstadt im Freihafen und in der Nachbarschaft der Container-Anlagen in der Waltershofer Hafengruppe sind sehr gut ausgelastet. Täglich rollen Bagger und Baumaschinen, Traktoren und Personenwagen, Sattelauflieger und Mähdrescher, Container auf Mafi-Trailern – das sind Großpaletten auf Rädern –, und manchmal auch eine ausgediente Wiener Straßenbahn für ein englisches Verkehrsmuseum über die großen Bug- oder Heckklappen der Roll-on-roll-off-Frachter. Die »Alster« ist eines dieser Schiffe. Es pendelt regelmäßig zwischen Hamburg und dem englischen Hafen King's Lynn.

Bild 8

The Roll-on-roll-off Ship "Alster"

Shipowners, forwarding agents and the Port Authority adapted themselves in good time to technical changes in overseas transport. Efforts to bring the facilities in Hamburg's port into line with the most modern ideas of rationalisation have been very successful. Distribution centres and ships are equipped to deal with types of goods, varied shipping methods and different conditions and destinations. In the last few years there has been a considerable increase in so-called roll-on-roll-off goods in the traffic with Great Britain and the Scandinavian countries. The reaction in Hamburg: shipowners ordered special ships for the transport of roll-on-roll-off goods, and the port provided special distribution centres for shipments of this kind. Full use is made of the special facilities not far from the system of warehouses near the town centre in the Free Port and in the vicinity of the container facilities of the Waltershofer group of ports. Day in day excavators and construction machinery, tractors and passenger coaches, container trailers and combine harvesters, containers on Mafi trailers—large palettes on wheels—and sometimes even an old Vienna tramcar for an English transport museum roll over the bow or stern flaps of the roll-on-roll-off freighters. The "Alster" is one of these ships. It plies regularly between Hamburg and the English port of King's Lynn.

Picture 8

El «Alster», un barco roll-on-roll-off

En Hamburgo, los armadores, las agencias marítimas y la administración portuaria han reconocido a tiempo el cambio que se opera técnicamente en el transporte marítimo. La tendencia a adaptar el trabajo en el puerto de Hamburgo a los métodos más modernos implantados en el transporte ha dado muy buenos resultados. Tanto los barcos como los equipos de trasbordo son diseñados teniendo en cuenta grupos de mercaderías, condiciones especiales de transporte o bien especialidades de los puertos de destino.

En los últimos años fue registrado un considerable incremento de material rodante hacia los puertos de la Gran Bretaña y de los países escandinavos. Como reacción, en Hamburgo los armadores hicieron construir barcos especiales para material rodante y la administración del puerto creó equipos de trasbordo para este tipo de bienes. Estos equipos situados en la zona de almacenes del puerto libre, cercano a la city, y en las inmediaciones del terminal de containers Waltershof están muy bien aprovechados. A diario excavadoras y máquinas para la construcción, tractores y automóviles, remolques y cosechadoras, containers y hasta a veces un tranvía vienés, dado de baja y destinado a un museo de tráfico británico, pasan sobre «mafi-trailers» – estos son grandes pontones rodantes – a las imponentes cavidades fijadas a proa y a popa de los barcos mercantes «roll-on-roll-off». El «Alster» es uno de estos barcos. Efectúa periodicamente la travesía entre Hamburgo y el puerto inglés de King's Lynn.

Toma 8

Große Freiheit

Hamburgo tiene exactamente 102 barrios, de los cuales muchos son famosos. El decididamente más famoso es sin embargo St. Pauli. Al atardecer, cuando se iluminan los coloridos tubos de neón, cuando las viejas fachadas entre el Nobistor y el Millerntor, entre el puerto y el matadero, se iluminan con reflejos cegadores, este barrio, que por expertos en la materia es catalogado como el más indecoroso de los lugares de diversión del mundo, comienza a llenarse de vida. En la Reeperbahn y en la Großen Freiheit, representadas en nuestra fotografía, así como en las muchas pequeñas callejuelas, de las cuales la Herbertstraße es conocida tanto en América, como en el Japón, en el Tirol y en el Odenwald por su mala fama y peor reputación, los porteros tratan de atraer a la clientela y las mujeres de la vida procuran llamar la atención de los caballeros con presumible billetera «de peso.»
Abajo, en el puerto, todavía se conservan algunas tascas con el inconfundible ambiente marinero y portuario. Según un slogan, con el cual el municipio y los locales gastronómicos serios tratan de combatir la carestía implantada en los alrededores de la Reeperbahn y de la Großen Freiheit, «St. Pauli es para todos.» La zona de diversión del puerto es ciertamente recomendable para muchos visitantes, siempre que sepan centrar sus esperanzas.

Grosse Freiheit

Hamburg has exactly 102 town districts, of which many are famous. By far the best known, however, is St. Pauli. When in the evening the bright neon lights blaze up, when the old facades between the Nobistor and the Millerntor, between the port and the cattle market are flooded with dazzling light, this quarter, of the town, which connoisseurs describe as the "most sinful" among the sinful amusement areas of the world, begins to come to life. On the Reeperbahn and the Grosse Freiheit, shown in our picture, in the many narrow side streets, of which the Herbertstrasse is as famous as it is infamous in America and Japan, in the Tyrol and the Black Forest, the doormen try to attract their customers and the ladies of easy virtue make eyes at those men whose wallets they feel may be a little too thick.

Down at the port there are still some ale-houses in which the genuine atmosphere of a sailors' and dockers' inn has been preserved. "St. Pauli is there for everyone" says a slogan which the restaurateurs and authorities use to combat the fleecing which goes on all around the Reeperbahn and the Grosse Freiheit. This amusement area at the port can—if you go there with the right expectations—certainly be recommended.

Große Freiheit

Hamburg hat genau 102 Stadtteile, von denen viele berühmt sind. Der mit Abstand bekannteste aber ist St. Pauli. Wenn am Abend die bunten Neonröhren aufflammen, wenn die alten Fassaden zwischen Nobistor und Millerntor, zwischen Hafen und Schlachtviehmarkt in grelles Licht getaucht werden, beginnt sich dieses Stadtviertel, das Kenner als das »sündigste« unter den sündigen Amüsiergebieten der Welt bezeichnen, mit Leben zu füllen. Auf der Reeperbahn und der Großen Freiheit, die unser Bild zeigt, in den vielen kleinen Nebenstraßen, von denen die Herbertstraße auch in Amerika und in Japan, in Tirol und im Odenwald ebenso berühmt wie berüchtigt ist, locken die Portiers ihre Kunden an und blinzeln die leichten Damen jenen Herren zu, von denen sie meinen, daß ihre Brieftaschen zu schwer seien.
Unten am Hafen gibt es sogar noch einige Kneipen, in denen sich die unverfälschte Atmosphäre eines Seemanns- und Hafenarbeiterlokals erhalten hat. »St. Pauli ist für alle da« heißt ein Slogan, mit dem Gastronomen und Behörden gemeinsam den Nepp rings um die Reeperbahn und die Große Freiheit bekämpfen. Das Vergnügungsviertel am Hafen ist — wenn man es mit den richtigen Erwartungen aufsucht — in der Tat für viele Gäste zu empfehlen.

BAR
HOTEL
TABU
Safari
Club de Monaco
BACRA ROULETTE
EINGANG
SALAMBO
Coca-Cola
Feen Grotte
ASTRA
Coca-Cola
KAPELLEN
de Monaco

Leuchtturm bei Wittenbergen im Abendlicht

Die große Stadt scheint endlos weit entfernt. Am Strom ist es still. Ein großes Frachtschiff läuft die Elbe abwärts. Wir können nicht mehr sehen, welche Flagge es am Heck führt. Zu stark blendet uns die Abendsonne. Aber wir müssen es nicht wissen. Unsere Gedanken gehen mit dem Schiff hinaus in die Ferne, zu Küsten, die schon vor Jahrhunderten von hamburgischen Kapitänen angesteuert wurden. Die Navigationshilfen für den Fahrensmann waren damals noch nicht so perfekt wie heute. Aber Leuchttürme haben auch in alten Zeiten schon den Weg gewiesen. Die Konturen der starken Ladebäume heben sich vor dem abendlich gefärbten Himmel über dem breiten Fluß ab. Die Zeit im Hafen war nur kurz. Die Zeit auf dem Meer wird lang sein. In Wochen, vielleicht erst in Monaten wird dieses Schiff die Elbe wieder hinaufkommen, vorbei am alten Leuchtturm von Wittenbergen, der doch nur wenige Kilometer von der großen Hafenstadt entfernt steht. Und wieder wird es nur eine kurze Hafenliegezeit und eine lange Ausreise zu fernen Ufern geben. Aber Ebbe und Flut, das Spiel der Gezeiten, bleiben stetig und gleichmäßig.

Bild 10

The Lighthouse at Wittenbergen in the Setting Sun

The metropolis seems to be infinitely remote. All is quiet by the river. A large freighter makes its way down the Elbe. We can no longer see which flag it is flying at its stern. We are too dazzled by the evening sun. But we do not need to know. Our thoughts travel out with the ship to distant lands, to coasts towards which Hamburg captains were steering their course many centuries ago. The navigational aids for seamen were not so advanced in those days as they are today. But even in ancient times lighthouses pointed the way. The contours of the stark derricks stand out against the evening hues of the sky over the broad river. The time in port was only short. The time at sea will be long. Only after weeks, perhaps even months, will this ship make its way up the Elbe again, passing the old Wittenbergen lighthouse, which stands but a few miles from the great seaport. And again it will only be a brief stay in port and a long voyage to distant lands. But the ebb and flow, the play of the tides, remains constant and regular.

Picture 10

El faro de Wittenbergen al atardecer

La gran ciudad parece estar infinitamente distante. Junto al río todo es silencio. Un barco mercante navega por el Elba río abajo. No podemos ya distinguir cual es la bandera que lleva enarbolada a popa. El sol poniente nos ciega. Pero ahora carece de importancia. Nuestros pensamientos se van con la nave mar afuera hacia las costas que desde siglos son el destino de los capitanes hamburgueses. Para el marino de aquella época las señales de navegación no eran tan perfectas como ahora. Pero desde siempre los faros han sido los indicadores de las derrotas. Los contornos de la poderosa arboladura del navío destacan del crepúsculo sobre el ancho río. La estadía en el puerto ha sido corta. La permanencia en alta mar será larga. En algunas semanas, quizá recién en algunos meses, este barco retornará río arriba por el Elba dejando atrás el viejo faro de Wittenbergen que sólo dista pocos kilometros de la gran ciudad portuaria. Y de nuevo la permanencia en el puerto será corta y prolongada la travesía hacia lejanas costas. Sólamente los caprichos de la marea, el flujo y el reflujo, mantendrán su ritmo.

Toma 10

El puerto en invierno

Cuando los bloques de hielo se acumulan a orillas del Elba, formando extravagantes torres e invitando al paseo entre Övelgönne y Rissen, comienza la época màs ruda del año para los trabajadores portuarios. Las barcazas tienen dificultad para traspasar los bloques de hielo. Una y otra vez los robustos rompehielos deben abrir sus vías. La necesaria actividad durante las 24 horas del día en el puerto de Hamburgo no permite interrupciones ni aún durante los inviernos más rigurosos. Para ello las tarifas de atraque son demasiado caras y demasiado valioso el tiempo de almacenaje de las mercancías. A veces las escotillas de carga de los barcos mercantes tienen que ser desheladas, otras veces los estibadores – es decir los obreros encargados de la carga y descarga de las mercancías – deben arremeter con mazas o picos contra los aparejos de carga para liberarlos de la costra de hielo que los recubre. El invierno tampoco tiene nada de agradable para los oficiales de carga. Cuando sus barcos arriban con mercaderia perecedera del trópico, quizás con un cargamento de plátanos, deben vigilar las temperaturas de las bodegas con gran precisión. Un cargamento de plátanos reviste un valor millonario que no debe perderse por deficiencias en la regulación de la temperatura.

Toma 11

Winter in Port

When the drift and pack ice along the Elbe banks rears up to form bizarre shapes, attracting strollers between Övelgönne and Rissen, the hard time of the year sets in for the workers at the port. The launches find it difficult to break through the ice-floes. Sturdy ice-breakers must continually open up the shipping channels. The round-the-clock work in the Port of Hamburg must not be interrupted even in the hardest winter. The docking fees are too expensive, the storage time for the goods too precious. Sometimes the loading hatches of the freighters have to be thawed open, sometimes the dockers employed to load and unload the goods have to use hammers or even ice-axes to release the loading gear from the incrusted blocks of ice. The winter in north Germany is not pleasant for the loading officers either. When their ships arrive with perishable goods from tropical countries, maybe a cargo of bananas, they have to keep a very close check on temperatures in the ships' holds. A ship-load of bananas is worth millions. Losses caused by a drop in temperature must not occur.

Picture 11

Winter im Hafen

Wenn sich das Treib- und Packeis am Elbufer zu bizarren Türmen aufschichtet und zu Spaziergängen zwischen Övelgönne und Rissen verlockt, dann beginnt für die Hafenarbeiter die härteste Zeit des Jahres. Die Barkassen haben es schwer, die Eisschollen zu durchbrechen. Immer wieder müssen bullige Eisbrecher die Fahrrinne aufreißen. Denn der Rund-um-die-Uhr-Betrieb im Hamburger Hafen darf auch im strengsten Winter nicht unterbrochen werden. Zu teuer sind die Liegegebühren, zu kostbar ist die Lagerzeit für die Waren. Manchmal müssen die Ladeluken der Frachtschiffe aufgetaut werden, manchmal müssen die Schauerleute – das sind die Arbeiter, die mit dem Laden und Löschen der Güter beschäftigt sind – das Ladegeschirr mit Hämmern oder gar mit Eispickeln von den verkrusteten und verharschten Eispanzern befreien. Auch für die Ladeoffiziere ist der Winter in Norddeutschland nicht angenehm. Wenn ihre Schiffe mit leichtverderblicher Ware aus den Tropen kommen, vielleicht mit Bananen beladen, dann müssen sie die Temperaturen in den Laderäumen sehr präzise überwachen. Eine Schiffsladung voll Bananen hat Millionenwert. Verluste durch Temperaturstürze darf es nicht geben.

Bild 11

UNGSHA
ØNSBERG
ERTO DE
GIJON

HAMBURG
HINRICH

Hafen mit TS »Hamburg« an der Überseebrücke

Früher waren es Schiffe wie die »Cap Arcona«, die Hamburger und Fremde zu Tausenden an die Überseebrücke lockten. Die Zeit der großen Passagierschiffe im Liniendienst scheint abgelaufen zu sein. Immer mehr weiße Luxusschiffe werden ausschließlich für das lukrative Kreuzfahrtgeschäft eingesetzt. Auch die »Hamburg«, das Flaggschiff der hamburgischen Handelsflotte, wurde als Kreuzfahrtschiff konzipiert. Das Turbinenschiff, das den Namen seiner Heimatstadt an ferne Küsten und in die schönsten Hafenstädte der Welt trägt, ist der Stolz der Hamburger. Schiffbauexperten aus vielen Ländern bewundern die gediegene Linienführung des weißen Riesen. Vor allem die Schornsteinkonstruktion hat in Fachkreisen respektvolles Aufsehen erregt. Nur selten aber haben die Hanseaten das Vergnügen, ihr schönstes Schiff bei sich im Hafen zu begrüßen. Meistens schippert es mit Urlaubern durch die Karibische See, kreuzt vor den Küsten Südamerikas oder läuft exotische Häfen in Afrika an. Aber an der Überseebrücke ist dennoch ganzjährig Saison. Musikdampfer aus aller Welt steuern Hamburg während ihrer Nordland-Kreuzfahrten an. Für wenige Stunden oder Tage lassen die Hamburg-Besucher die Atmosphäre der Hansestadt auf sich wirken.

Port with TS Hamburg at the Overseas Quay

It used to be ships like the "Cap Arcona" that attracted the local people and the visitors in their thousands to the Überseebrücke (Overseas Quay). The heyday of the great passenger liners seems to be over. More and more white luxury ships are being used for the lucrative cruising business. Even the "Hamburg," flagship of the Hamburg Merchant Navy, was conceived as a cruising vessel. The turbine ship, which carries the name of its home town to distant coasts and the world's most beautiful harbours, is the pride of the Hamburg people. Shipbuilding experts from many countries admire the sophisticated styling of the white giant. The design of the funnels, in particular, aroused respectful attention in ship-building circles. But it is rare that the citizens of the Hanseatic town have the pleasure of welcoming their most beautiful ship in port. It is usually carrying holidaymakers through the Caribbean Sea, cruising off the coast of South America or sailing into exotic ports in Africa. But nevertheless there is much activity at the Overseas Quay all the year round: pleasure cruisers from many countries make for Hamburg during their cruises in northern seas. For a few hours or days visitors to Hamburg imbibe the atmosphere of the Hanseatic town.

Vista del puerto con la nave «Hamburgo» junto al muelle internacional

En otra época los barcos como el «Cap Arcona» atraían a miles de hamburgueses y forasteros al muelle internacional. La época de los grandes barcos de pasajeros en servicio de linea parece haber tocado a su fín. Cada vez más, los blancos y lujosos barcos son destinados exclusivamente al lucrativo negocio de los viajes de crucero. También el «Hamburgo», el buque insignia de la flota mercante hamburguesa, fué diseñado para cruceros. El navío a turbina que lleva el nombre de su ciudad a lejanas costas y a los puertos más bonitos del mundo es el orgullo de los hamburgueses. Los expertos navieros de muchos países admiran la gallarda silueta del blanco gigante. Sobre todo la construcción de las chimeneas ha despertado entre los entendidos admiración y respeto. Pero sólo en contadas ocasiones la población hanseática tiene el placer de saludar a su nave más vistosa en su puerto de origen. La mayoría de las veces navega con turistas por el mar Caribe, efectúa cruceros por las costas de Sudamérica o bien toca puertos exóticos en África. Pese a ello el muelle internacional está de temporada todo el año: Barcos de placer de todo el mundo pasan por Hamburgo durante sus cruceros a los países nórdicos. Por sólo pocas horas o días los visitantes de Hamburgo aspiran la atmósfera que emana de la ciudad del Hansa.

Viviendas de la Congregación de Tenderos junto al Michel. Un lugar idílico en la gran ciudad.

Hamburgo posee pocos testimonios pétreos del gran pasado. La reestructuración de la ciudad, la guerra y la moderna planificación del tráfico han ocasionado grandes brechas en los viejos barrios. Uno de los recuerdos más placenteros del viejo Hamburgo está dado por las viviendas de la «Congregación de Tenderos», al pié del Michel. «A Dios honra y en socorro de las necesitadas viudas de nuestros hermanos de la congregación. El Señor Sabaoth proteja estas casas contra fuego y otras desgracias». Esta es la leyenda insertada en una chapa de bronce que lleva una de las casitas junto al Krayenkamp, que no son consideradas como atracción turística ya que ni los mismos hamburgueses las conocen. La «Congregación de Tenderos» que hizo edificar estas casas hace 300 años era una comunidad de gran prestigio creada en la Edad Media por comerciantes dedicados a la venta de especias, textiles y articulos de ferretería. En un principio las casas junto al Krayenkamp estaban destinadas a lugar de almacenaje y expelían un profundo aroma a especias. Posteriormente fueron convertidas en viviendas para las viudas de los tenderos. Unicamente ellas tuvieron sucesivamente durante siglos la prioridad de habitar allí. Hace unos pocos años, las viviendas de la «Congregacion de Tenderos» — que se encuentran bajo protección — aún servian para dar cobijo a personas de avanzada edad por unos marcos de alquiler mensual. Un lugar idílico en medio de la gran urbe, situado entre la city y St. Pauli.

Toma 13

Krameramt's (Traders' Association's) Houses at the Michel — Idyll in the City

Hamburg is not rich in monuments of stone to its great past. Demolition, war and modern transport planning have taken their toll of the old quarters. One of the most charming recollections of old Hamburg are the Krameramt's houses at the foot of the Michel. "*Gott zu Ehren und zum Behuff bedürftiger Amtsbrüder-Wittwen. Der Herre Zebaoth Sey dieser Häuser Schutz für Feuer und ander Noth.*" (In honour of God and for the benefit of the needy widows of the Association's brethren. May the Lord God protect these houses from fire and other disasters.) These are the words on a copper plate on one of the little houses on the Krayenkamp, which are not among the usual tourist attractions, because even the people of Hamburg hardly know these dwellings.

The Krameramt, which had these buildings built 300 years ago, was an association of high standing which was founded by tradesmen in spices, cloth and hardware in the Middle Ages. First the houses on the Krayenkamp were used as storerooms, which smelt of spices. Later they were turned into dwellings for the widows of the shop owners. They alone were privileged, for centuries, to live there. Until a few years ago the Krameramt's houses, which are protected as monuments, were occupied by needy old people who paid a few marks rent a month. An idyll in the heart of the teeming city, between the centre and St. Pauli.

Picture 13

Krameramts-Wohnungen am Michel — Idyll in der Großstadt

Hamburg ist nicht reich an steinernen Zeugen der großen Vergangenheit. Stadtsanierung, Krieg und moderne Verkehrsplanung haben in die alten Viertel Schneisen geschlagen. Zu den liebenswertesten Erinnerungen an das alte Hamburg gehören die Krameramts-Wohnungen zu Füßen des Michel. »Gott zu Ehren und zum Behuff bedürftiger Amtsbrüder-Wittwen. Der Herre Zebaoth Sey dieser Häuser Schutz für Feuer und ander Noth.« So heißt es auf einer Kupfertafel an einem der Häuschen am Krayenkamp, die nicht zu den Touristen-Attraktionen zählen, weil selbst die Hamburger diese Wohnungen kaum kennen.

Das Krameramt, das diese Häuser vor 300 Jahren errichten ließ, war eine Vereinigung hohen Ansehens, zu der sich im Mittelalter Gewürz-, Textil- und Eisenwarenkrämer zusammengeschlossen hatten. Zuerst waren in den Häusern am Krayenkamp Lagerräume untergebracht, die nach Gewürzen dufteten. Später wurden Wohnungen für die Witwen der Ladenbesitzer daraus. Nur sie hatten jahrhundertelang das Vorrecht, dort zu wohnen. Und noch bis vor wenigen Jahren lebten in den Krameramts-Wohnungen, die unter Denkmalschutz stehen, bedürftige Alte für ein paar Mark Monatsmiete. Ein Idyll inmitten der Millionenstadt, zwischen City und St. Pauli gelegen.

Bild 13

g
h

Jungfernstieg

Die Mönckebergstraße ist sicher die belebteste Geschäftsstraße in Hamburg. Die Reeperbahn ist die sündigste Meile der Hansestadt und vielleicht sogar der ganzen Welt. Der Jungfernstieg aber ist der Prachtboulevard der Elbhanseaten, vergleichbar mit der Avenue den Champs-Elysées, mit der Fifth Avenue in New York oder dem Corso Vittorio Emanuele. Der Jungfernstieg ist eine ziemlich kurze, sehr breite Straße, die den belebten Gänsemarkt mit dem Ballindamm und dem Rathausmarkt verbindet. Aber der Jungfernstieg ist weit mehr als eine für den innerstädtischen Verkehr sehr wesentliche Ader. Er ist ein Kulminationspunkt lebendigen Hanseatentums. Hier kann man sich im buntesten Kostüm sehen lassen, ohne daß auffällig danach geschaut wird. Wenn sich jemand dennoch umdreht, darf man sicher sein, daß es kein Hamburger ist. Der Jungfernstieg liegt am Wasser, genauer: an der Binnenalster. Man muß das schon von Zeit zu Zeit in die Erinnerung zurückrufen, denn über viele Jahre bleibt die schönste Seite des Boulevards, die Wasserseite, eine riesige Baustelle. Eine unterirdische U- und S-Bahn-Station für den Massenverkehr von morgen wird gebaut. Zum Ursprung des Namens ein Auszug aus einer Chronik des Jahres 1665: »Dieser Spaziergang ward der Jungfernstieg genannt, weil das Frauenzimmer sich zum öfteren dahin verfügt zu lustieren.« Daran hat sich bis heute nichts geändert.

Bild 14

Jungfernstieg

The Mönckebergstrasse is certainly the busiest shopping street in Hamburg. The Reeperbahn is the most sinful mile in the Hanseatic town and, perhaps, in the whole world. But the Jungfernstieg (literally, the maidens' way) is the main boulevard of the Hanseatic citizens on the Elbe, comparable to the *Champs Elysées*, to Fifth Avenue in New York or the *Corso Vittorio Emanuele*. The Jungfernstieg is a fairly short, very wide road, which links the lively Gänsemarkt (Goose Market) with the Ballindamm and the Town Hall Market. But the Jungfernstieg is far more than an artery essential for traffic in the city centre. It is a focal point of lively Hanseatic life. Here you can walk along in the most colourful costume without arousing any attention. If someone does look round, you can be certain that it is not a citizen of Hamburg. The Jungfernstieg is situated at the water, or more precisely, on the Inner Alster. One has to remember this fact from time to time, because for many years the more atractive side of the boulevard, the water side, has been nothing more than a huge building site. An underground railway station is being built to cope with the mass transport of tomorrow. Here an extract from the chronicles of 1665 on the origin of the name: "This promenade was called the Jungfernstieg, because the lassies often walked here for their pleasure." In that respect nothing has changed since those times.

Picture 14

Jungfernstieg

La «Mönckebergstraße» es seguramente una de las arterias comerciales más concurridas de Hamburgo. La «Reeperbahn» es la zona más indecorosa de la ciudad del Hansa y quizás aún del mundo entero. El «Jungfernstieg» es sin embargo el gran bulevar de los hanseáticos del Elba, una calle relativamente corta y de gran anchura que une el animado «Gänsemarkt» con el «Ballindamm» y con el mercado del Ayuntamiento. Pero el «Jungfernstieg» representa mucho más que el hecho de ser una arteria de importancia para el tráfico interciudadano. Se trata de un punto de culminación del vivir hanseático. Aquí pueden presentarse los vestidos más llamativos sin que ello llame particularmente la atención. Si pese a ello alguien da media vuelta se puede tener la certeza de que no se trata de un hamburgués. El «Jungfernstieg» transcurre junto al agua, más exactamente a lo largo del Alster interior. Es preciso mencionarlo, ya que desde hace muchos años, el costado más bonito del bulevar, el que queda contiguo al agua, ha quedado transformado en una obro inmensa. Está en construcción para el tráfico de masas del futuro una estación bajo nivel del tren subterraneo en combinación con la linea interurbana. La provenencia de su nombre es aclarada por un extracto de una crónica del año 1665: «este paseo fue denominado Jungfernstieg (sendero de las doncellas) por ser que las mozas gustaban de exhibirse allí.» En ésto, hasta nuestros días no se ha operado cambio alguno.

Toma 14

Lombardsbrücke (Puente de Lombard)

El Alster interior y el exterior están separados y a la vez comunicados por dos puentes que han llegado a conocerse hasta fuera de Hamburgo. Durante case un siglo existió allí un puente cuyo nombre aún se conserva: el puente de Lombard. Sus candelabros, la iluminación del puente, en el querido estilo anticuado, han sido fotografiados, pintados y dibujados a menudo. Son una parte de Hamburgo como también lo es el mismo puente de Lombard. Obtuvo su nombre cuando fué construído en 1868 por hallarse junto a la casa municipal de préstamo. Lombard, es una antigua denominación para el monte de piedad. En la época de inauguración del puente aún se movían a su derecha e izquierda los molinos de viento. Actualmente el viejo puente de Lombard ya no es capaz de absorber el tráfico de la metrópoli. Por ello en 1952 fue construído el segundo, el nuevo puente Lombard. Desde el atentado contra el presidente americano Ileva el nombre de «Puente Kennedy.»
Debajo de los candelabros del viejo puente Lombard las parejas, en su camino de las factorías a los servicios de transporte, siguen parándose a contemplar la luminosa majestuosidad del Jungfernstieg y el mar de luces del centro de la ciudad, del que destacan las torres iluminadas del ayuntamiento y del «Großen Michel.»

Lombardsbrücke

At their narrowest point the Inner Alster and the Outer Alster are separated and at the same time joined by two bridges, which have become well-known even beyond the bounds of Hamburg. For almost a century there was only one bridge, whose name still exists today: the Lombardsbrücke. Its lanterns, the bridge lamps in a delightfully antiquated style, have often been photographed, painted, drawn. They are a piece of Hamburg, just as the Lombardsbrücke itself is. It was given its name in 1868, when the bridge was built, after the municipal pawnbroker's office, which used to be near it. Lombard is an old designation for a pawnbroker's shop. At the time the bridge was inaugurated windmills were rattling away on either side of it. The old Lombardsbrücke has, for some time now, been unable to cope with the city traffic. In 1952, therefore, the second bridge, the "Neue Lombardsbrücke," was built. Since the assassination of the American President it has borne the name Kennedy-Brücke.
But the young couples on their way from their offices to their buses and trams still stop and stand beneath the lanterns of the old Lombardsbrücke and look across to the glittering splendour of the Jungfernstieg, at the sea of lights in the town centre, from which rise up the illuminated towers of the Town Hall and the Grosser Michel.

Lombardsbrücke

Binnen- und Außenalster werden an ihrer engsten Stelle getrennt und gleichzeitig verbunden durch zwei Brücken, die auch über Hamburg hinaus bekannt geworden sind. Fast ein Jahrhundert lang gab es dort nur eine Brücke, deren Name heute noch fortbesteht: Die Lombardsbrücke. Ihre Kandelaber, die Brückenlampen im liebenswert antiquierten Stil, sind oft fotografiert, gemalt, gezeichnet worden. Sie sind ein Stück Hamburg, wie es die Lombardsbrücke selber auch ist. Ihren Namen erhielt sie 1868, als sie gebaut wurde, nach dem städtischen Leihhaus, das einst in ihrer Nähe stand – Lombard ist eine alte Bezeichnung für Pfandhaus. Damals, als die Brücke eingeweiht wurde, klapperten noch rechts und links von ihr Windmühlen. Inzwischen ist die alte Lombardsbrücke dem Großstadtverkehr schon lange nicht mehr gewachsen. 1952 wurde darum die zweite, die »Neue Lombardsbrücke«, gebaut. Seit der Ermordung des amerikanischen Präsidenten trägt sie den Namen »Kennedy-Brücke«.
Unter den Kandelabern der alten Lombardsbrücke aber bleiben die Pärchen auf ihrem Weg von den Kontorhäusern zu ihren Verkehrsmitteln nach wie vor stehen und schauen hinüber auf die glitzernde Pracht des Jungfernstiegs, auf das Lichtermeer der Innenstadt, aus dem die angestrahlten Türme des Rathauses und des Großen Michels herausragen.

Hamburg bei Nacht

Noch sind die Fensterreihen der großen Bürohäuser in der Innenstadt hell erleuchtet, noch erstrahlen die Straßen rings um das Rathaus im Glanz unzähliger Glühbirnen. Aber schon bald nach Kontorschluß wird die City der Millionenstadt still sein. Hamburg hat keine belebte Innenstadt. Zwar haben Politiker, Behörden und Bürger immer wieder versucht, die City aus ihrem Dornröschenschlaf zu erwecken, aber da »Kommunikation in Hamburg nicht auf der Straße stattfindet«, wie es ein prominenter Architekt formuliert hat, mußten alle diese Bemühungen scheitern, zumal sie nur eine künstliche, aber keine organische Belebung der Innenstadt bewirkt hätten.

Wenn in der Mönckebergstraße, am Neuen Wall, am Ballindamm, am Rathausmarkt, in den Großen Bleichen, am Jungfernstieg, am Gänsemarkt oder in der Spitalerstraße – dem Fußgängerparadies am Hauptbahnhof – nur noch vereinzelte Schaufensterbummelanten zu sehen sind, wird dafür in St. Pauli, zu Füßen des Großen Michel, die Nacht zum Tage gemacht. Dann blitzen dort die bunten Neonröhren über der Reeperbahn und der Großen Freiheit auf. Die roten Laternen von St. Pauli leuchten stets bis in den grauen Morgen hinein.

Bild 16

Hamburg by Night

The rows of windows in the huge office blocks in the city centre are still brightly lit, the streets around the Town Hall are still bathed in the radiance of innumerable lights. But soon after office hours the centre of this great town will be silent. Hamburg does not have a lively town centre. Although politicians, authorities and citizens have repeatedly tried to awake the centre out of its slumbers, like Sleeping Beauty, since, as one prominent architect put it, "communication does not take place on the street," all these efforts were doomed to failure, especially as they would have brought about only an artificial, but not an organic, animation of the city centre.

If only the occasional window shopper is encountered in the Mönckebergstrasse, at the Neuer Wall, the Ballindamm, in the Town Hall Market, in the Grosse Bleichen, on the Jungfernstieg, in the Gänsemarkt (Goose Market) or in the Spitalerstrasse, that pedestrians' paradise at the Main Railway Station, then in St. Pauli, on the other hand, at the foot of the Grosser Michel, night is turned into day. There the bright neon lights flash out over the Reeperbahn and the Grosse Freiheit. The red lamps of St. Pauli stay alight into the early hours of the morning.

Picture 16

Hamburgo de noche

En la zona céntrica, las hileras de ventanales de los grandes edificios administrativos se encuentran aún claramente iluminadas. Todavía las calles circundantes al ayuntamiento brillan por el esplendor de innumerables luces. Pero poco después del cierre de las oficinas, la city de la gran ciudad quedará en el silencio. La zona céntrica de Hamburgo no tiene vida nocturna. Políticos, instituciones municipales y los mismos habitantes han tratado repetidamente de despertar a la city de su sueño de cinderella. Pero-dado que la comunicación en Hamburgo no se efectúa en las calles – para emplear el decir de un conocido arquitecto, todos estos proyectos estaban condenados al fracaso, sobre todo porque hubiesen provocado únicamente una concurrencia artificial y no orgánica hacia la zona céntrica.

Mientras que en la Mönckebergstraße, en el Neuen Wall, Ballindamm, Rathausmarkt, Großen Bleichen, Jungfernstieg, Gänsemarkt o en la Spitalerstraße – equivalente a un paraíso para peatones junto a la estación principal – sólamente se divisan algunos transeúntes contemplando escaparates, en St. Pauli, al pié del Großen Michel, la noche se transforma en día. Los policromados tubos de neón brillan sobre la Reeperbahn y sobre la Großen Freiheit. Los rojos faroles de St. Pauli permanecen siempre iluminados hasta el repunte del alba.

Toma 16

El Recinto del Senado en el ayuntamiento

Puertas enrejadas de bronce separan la escalera de acceso y el recinto del Senado de la Ciudad Hanseática Libre de Hamburgo. «Coto», ésta es la denominación literal que se le da al recinto donde se deciden los designios de la ciudad-república. El «Quiddje», así es como el hamburgués llama al forastero, tendrá que acostumbrarse a que los dignos senadores y sus síndicos se reúnan en una cerca. Pero como casi todas las cosas de importancia, esta denominación dada a los ambientes senatoriales en el ayuntamiento, es una cuestión de probada tradición.
El recinto más importante es el «cuarto del concejo», siendo la denominación de «cuarto» nuevamente un vivo ejemplo de la tendencia hanseática al understatement británico. Ha de saberse que el «cuarto del concejo» es, desde el punto de vista del hamburgués, algo «angustiosamente distinguido» como se dice a orillas del Elba cuando se está impresionado por la pomposidad de un edificio. En el «cuarto del concejo» no hay ventanas. A ocho metros de altura se extiende un techo de vidrio y sobre éste una imponente claraboya. Sobre los senadores, cuando se encuentran en sesión, no puede haber otra cosa que el cielo. Magnificiencia? De ninguna forma. Se trata nuevamente de una tradición: hasta el año 1860 el senado de la ciudad-república poseía también las facultades de la corte suprema y según la antigua tradición un hombre libre sólamente podía ser juzgado a cielo abierto.

Toma 17

The Senate's "Enclosure" in the Town Hall

Bronze trellised gates divide the staircase from the Senate's Enclosure in the Town Hall of the Free and Hanseatic Town of Hamburg. The "Quiddje," as the Hamburg people call the non-native of their town, must first accustom himself to the fact that dignified senators and their syndics, or officials, hold their meetings in an "enclosure," but like nearly all important things the name of the Senate's rooms in the Town Hall is a matter of old tradition. The most important room is the "Ratsstube" (Council Cubicle), the word "Stube," or small room, providing another good example of the Hanseatic liking for British understatement. For the Council Chamber is what the Hamburg people call "bannig vornehm," when they are impressed by the magnificence of a house. In the Council Chamber, incidentally, there are no windows. Over eight metres (27 feet) from the floor there is a glass roof, and above this a huge light well. When the Senate is in session only the sky may be above it. Self-exaltation? Not at all. Only tradition again: for until 1860 the Senate of the Town-Republic also exercised the authority of the Supreme Court. According to ancient custom, however, a free man could only be tried under the open sky.

Picture 17

Senatsgehege im Rathaus

Bronzene Gittertüren trennen das Treppenhaus vom Senatsgehege im Rathaus der Freien und Hansestadt Hamburg. »Gehege«: so heißt der Bereich wirklich, in dem die Geschicke des Stadtstaates bestimmt werden. Der Quiddje, wie die Hamburger den Zugereisten nennen, muß sich erst daran gewöhnen, daß würdige Senatoren und ihre Syndici in einem Gehege tagen, aber wie fast alle bedeutenden Dinge ist auch die Bezeichnung der Senatsräume im Rathaus eine Sache gewachsener Tradition.
Wichtigster Raum ist die Ratsstube, wobei die Bezeichnung Stube wieder einmal ein schönes Beispiel für den hanseatischen Hang zu britischem Understatement bietet. Die Ratsstube ist nämlich für hamburgische Begriffe »bannig vornehm«, wie man an der Elbe sagt, wenn man von der Pracht eines Hauses beeindruckt ist. In der Ratsstube gibt es übrigens keine Fenster. In über acht Metern Höhe spannt sich eine Glasdecke, darüber ein mächtiger Lichtschacht. Über dem Senat darf, wenn er tagt, nur der Himmel sein. Selbsterhöhung? Keineswegs. Nur wieder einmal Tradition: Bis 1860 lagen nämlich beim Senat der Stadtrepublik auch die Befugnisse des Obersten Gerichts. Nach alter Überlieferung konnte aber ein freier Mann nur unter freiem Himmel gerichtet werden.

Bild 17

GOTT MIT UNS.

Im Jahre 1558 erlaubte der Rat der Stadt Hamburg dem Gemeinen Kaufmann am Nikolaifleet, gegenüber dem alten Rathaus einen »freien Platz«, eine Börse abzuhalten. Der Gemeine Kaufmann war nicht etwa ein Händler, der mit besonders raffinierten Tricks, mit Gemeinheiten also, seine Ware an den Mann brachte. Abgesehen davon, daß solche Praktiken in der hanseatischen Kaufmannschaft nicht sehr langlebig gewesen wären, hat sich auch die Bedeutung des Gemeinen im Sprachgebrauch gewandelt. Im »Gemeinen Kaufmann« waren im alten Hamburg Großhändler zusammengeschlossen, deren Interessen »über See gingen«, die also Im- und Exportgeschäfte betrieben.
Aus dem freien Platz des Gemeinen Kaufmanns entstand Deutschlands älteste Börse. Heute steht die Elektronik im Dienste des Börsenkunden. In Bruchteilen von Sekunden werden die Kurse in alle Himmelsrichtungen ausgestrahlt. An der Tradition hat sich freilich nur wenig geändert. Erst seit 1968 dürfen die Börsianer in Hamburg bei tropischer Hitze – auch die gibt es zuweilen an der Elbe – das Jackett ablegen. Einschränkung des Börsenvorstandes: »Die Hemden müssen blütenweiß sein, und keiner darf Hosenträger tragen.«

In 1558 the Hamburg Town Council allowed the Common Merchant to run a "free place," a stock exchange, on the Nikolaifleet, opposite the old Town Hall. The Common Merchant was not a tradesman who tried to dispose of his goods by means of exceptional tricks, that is to say, by means of foul play. Quite apart from the fact that such "common" practices would have been very short lived among the Hanseatic merchants, the meaning of the Common Merchant has changed in its usage. In those days in Hamburg the Common Merchants were those tradesmen whose interests "extended overseas," that is to say those who carried on export and import business.
Germany's oldest stock exchange grew up on the free place of the Common Merchant. Today electronics are at the service of the stock exchange client. In fractions of a second the prices are beamed out to all points of the compass. It is true that only little of the old tradition has changed. It was not until 1968 that members of the Hamburg Stock Exchange were allowed to remove their jackets in the tropical heat —even that is not unknown sometimes on the Elbe. A condition of the Stock Exchange Board: "Shirts must be snow-white, and braces must not be worn."

En el año 1558 el Concejo de la ciudad de Hamburgo otorgó un permiso al «Gemeiner Kaufmann» (Comerciante Común) para ejercer junto al canal de «Nikolai» – un terreno libre frente al antiguo municipio – operaciones bursátiles. El «Gemeiner Kaufmann» no era un comerciante que colocara sus mercancías valiendose de sutiles trucos, es decir sirviéndose de malicias. Aparte de que estas prácticas no hubieran contado con mucha longevidad en la cofradía de comerciantes del Hansa, hay que decir que desde entonces la palabra «Común» («Gemein» equivale a común pero tiene en alemán también el significado de malicioso) ha cambiado su sentido. En el «Comerciante Común» del viejo Hamburgo estaban representados los mayoristas que negociaban con ultramar, es decir aquellos que practicaban la exportación e importación.
En el baldío del «Gemeine Kaufmann» se creó la bolsa más antigua de Alemania. La electrónica se ha puesto en nuestros días al servicio de los clientes de la bolsa. Las cotizaciones son transmitidas en décimas de segundo a los cuatro puntos geográficos. La tradición naturalmente sólo ha sufrido pocas modificaciones. Recién desde 1968 les está permitido a los bolsistas de Hamburgo, en días de calor tropical, (también los hay de vez en cuando a orillas del Elba) quitarse la chaqueta. Imposición de la dirección de la bolsa: «Las camisas han de ser blancas como la nieve y a ninguno le está permitido presentarse en tirantes.»

Sala de Música

La Sala de Música, vista aquí ante la fachada del edificio administrativo de una compañía internacional, es la sede de los conciertos vespertinos de gala y a su vez una prueba concluyente de la liberalidad de los comerciantes hamburgueses. Carl Laeisz donó en 1924 este edificio, convertido entretanto en el centro de la actividad musical de rango hamburguesa. El apellido Laeisz se pronuncia aún hoy en día con respeto en las ciudades portuarias de todos los continentes, ya que bajo la bandera de la compañía naviera hamburguesa F. Laeisz navegaban los famosos «Flying-P-Liner», los gallardos y apuestos veleros pertenecientes a una época de la navegación que hoy radica en el pasado. La compañía Laeisz, y particularmente el donador de la Sala de Música Carl Laeisz, obtuvieron también por el comercio de ultramar un reconocido renombre mundial.

Con anterioridad a la segunda guerra mundial, el «Conventgarten» fué el centro de la actividad de conciertos de Hamburgo, cuya tradición musical es considerable. La función que cumplía el «Conventgarten» pasó a la Sala de Música cuando en 1943 aquel fué reducido a escombros y cenizas. La «Gran Sala» tiene una capacidad para 2000 espectadores. Aquí tienen lugar los grandes conciertos de orquesta pero también todas las demás manifestaciones musicales de importancia, inclusive las del Jazz y de la música Pop. En la sala pequeña con capacidad para 640 espectadores se interpreta sobre todo música de cámara.

Toma 19

The Musikhalle (Concert Hall)

The Musikhalle—seen here against the façade of the administrative offices of an international concern—is the venue of magnificent evening concerts and at the same time an impressive document of the patronage of Hamburg's merchants. In 1904 Carl Laeisz endowed this building, which has since become the focal point of Hamburg's discriminating musical life. The name of Laeisz is still mentioned with respect in the port towns of all the continents, for it was under the flag of the Hamburg shipping line that the famous "Flying P-Liners" used to sail, the proud sailing ships from a past epoch of Christian seafaring. The Laeisz Company and in particular the patron of the Musikhalle, Carl Laeisz, also acquired a world-wide reputation as an overseas trading house.

Before the Second World War the Conventgarten (Convent Garden) was the centre of musical concerts in the musical town of Hamburg, which has a great tradition. When it lay in ruins in 1943, its function was taken over by the Musikhalle. Its Great Hall holds an audience of 2000. Here not only orchestral concerts, but all kinds of major musical events, including jazz and pop music, are performed. In the small hall, which seats 640 people, chamber music is mainly presented.

Picture 19

Musikhalle

Die Musikhalle – hier vor der Fassade des Verwaltungsgebäudes eines internationalen Konzerns – ist eine Stätte glanzvoller Konzertabende und zugleich ein imposantes Dokument für das Mäzenatentum hamburgischer Kaufleute. Carl Laeisz stiftete 1904 diesen Bau, der inzwischen zum Mittelpunkt des anspruchsvollen musikalischen Lebens Hamburgs geworden ist. Der Name Laeisz wird noch heute in den Hafenstädten aller Kontinente mit Respekt genannt, denn unter der Flagge der hamburgischen Reederei F. Laeisz segelten die berühmt gewordenen »Flying-P-Liner«, die stolzen Großsegler aus der vergangenen Epoche der Christlichen Seefahrt. Das Haus Laeisz und namentlich der Stifter der Musikhalle, Carl Laeisz, erwarb sich auch als Übersee-Handelshaus ein weltweit anerkanntes Renommee.

Vor dem Zweiten Weltkrieg war der Conventgarten das Zentrum des konzertanten Schaffens in der Musikstadt Hamburg, deren Tradition bedeutend ist. Als er 1943 in Schutt und Asche sank, übernahm die Musikhalle seine Funktion. Ihr Großer Saal faßt 2000 Besucher. Hier gelangen die Orchesterkonzerte und alle anderen größeren musikalischen Veranstaltungen, auch Jazz- und Popmusik, zur Aufführung. Im kleinen Saal, in dem 640 Personen Platz finden, wird vorwiegend Kammermusik zu Gehör gebracht.

Bild 19

Hamburgische Staatsoper

Von außen mag die Hamburgische Staatsoper den Musikfreund, den das weltweite Renommee dieses Musiktheaters an die Alster gelockt hat, zunächst einmal an die Glasfassade eines Verwaltungsgebäudes erinnern. Nach einem Opernhaus, wie man es sich an der Isar, vor allem aber an der Donau vorstellt, sieht die Staatsoper der Freien und Hansestadt nicht aus. Bevor dieses dritte Haus der ältesten deutschen Oper 1955 eröffnet wurde, hatte es auch in Hamburg hitzige Diskussionen gegeben – soweit Diskussionen an der Küste hitzig sein können.

Die nahezu völlig verglaste Fassade erlaubt dem Passanten einen freizügigen Blick in den Foyerbetrieb und den darüberliegenden dreigeschossigen Aufenthaltsbereich. Der Innenraum ist wie das ganze Gebäude nur von der Funktion bestimmt: ein großer Seh- und Hörapparat. Wie Wannen schieben sich die gestaffelten Logen über die plüschig-roten Ränge.

Lange schon haben sich die Hamburger und mit ihnen die Musikfreunde aus aller Welt an die Eigenarten dieses Opernhauses gewöhnt. Intendanten wie Rennert und Liebermann knüpften an die Tradition hamburgischen Musiklebens an und scheuten auch das Experiment auf der Opernbühne keineswegs. Auf Tourneereisen wurden Ensembles der Hamburgischen Staatsoper in den Musikzentren der Welt stürmisch gefeiert.

Bild 20

The Hamburg State Opera

From the outside the Hamburg State Opera House may well appear to the music-lover, attracted to the Alster by the world-wide renown of this operatic centre, simply the glass façade of a block of offices. The State Opera House of the Free and Hanseatic City does not look like an opera house such as one finds in Munich or Vienna. Before this third house of Germany's oldest opera was opened in 1955, there had been heated debates in Hamburg—inasmuch as debates on the coast can be heated.

The almost entirely glazed façade gives the passer-by an unrestricted view of the bustle in the foyer and the lounges in the three storeys above. The interior, like the whole building, is entirely dictated by the function: a great apparatus for seeing and hearing. Like bath-tubs, the boxes rise up in tiers over the red plush stalls.

The people of Hamburg, and music-lovers from all over the world as well, have long since accustomed themselves to the peculiarities of this opera house. "Intendants" such as Rennert and Liebermann followed the tradition of Hamburg's musical life and were by no means averse to experimentation on the opera stage. On their concert tours ensembles of the Hamburg State Opera have been given a rousing welcome in the music centres of the world.

Picture 20

La opera estatal de Hamburgo

El adepto a la música, atraído por el renombre mundial de la opera estatal de Hamburgo, puede experimentar inicialmente la impresión de hallarse ante la fachada envidriada de un complejo administrativo, viendo este teatro musical desde afuera. La ópera estatal de la ciudad libre del Hansa no guarda semejanza con la suposición que se tiene de una ópera a orillas del Isar, o mas aún, del Danubio. Antes de la apertura del tercer edificio de la ópera más antigua de Alemania en 1955, se produjeron calurosas discusiones en Hamburgo, en la medida en que pueda haber discusiones acaloradas en la costa. La fachada, casi totalmente en vidrio, permite al peatón una amplia visión del quehacer en el foyer así como en las salas de estar que se encuentran en tres planos, por encima de este. El interior ha sido concebido, como todo el edificio, en forma exclusivamente funcional. Se trata de un gran complejo para ver y escuchar. Los palcos escalonados semejando bañeras se extienden por encima del rojo terciopelo de las gradas. Desde hace ya tiempo los hamburgueses y con ellos los adeptos a la música de todo el mundo se han acostumbrado a las peculiaridades de esta ópera. Directores artísticos como Rennert y Liebermann han enlazado con la tradición musical hamburguesa sin temor ninguno a practicar el experimento en el escenario de la ópera. Durante sus giras, el conjunto de la Opera estatal de Hamburgo fué recibido en los centros musicales del mundo entusiásticamente.

Toma 20

Una excursión alrededor del Alster es una de las impresiones más perdurables de todo recorrido por Hamburgo. Un lago grande y un lago pequeño, para colmo estancados artificialmente. Qué es lo que tienen de particular? El Alster interior y el Alster exterior no están situados en las afueras de Hamburgo sino enclavados en el mismo centro de la ciudad del Hansa, dando a la urbanización una fisonomía única. Antiguamente, los parques y jardines de los comerciantes adinerados llegaban por la parte de Harvestehude, desde la cual fue efectuada nuestra toma, hasta la misma orilla. Ahora, los cuidados parques a orillas del Alster pertenecen a la comunidad. En media hora escasa se puede hacer el recorrido alrededor del gran estanco del Alster exterior, divisando desde el Uhlenhorst —la orilla opuesta a Harvestehude—la torre trasmisora de televisión siempre bajo nuevos y atractivos aspectos. Por intervalos se puede observar como reciben su alimento los cisnes o como se constituyen en pelea para defender su distrito.
Desde Harvestehude la vista se dirige a la ciudad interior, a las torres que se destacan claramente del plomizo cielo nórdico. El que se haya saturado de la contemplación de estos bellos panoramas urbanos, puede servirse del vapor del Alster —tal el nombre que se le da a los pequeños y blancos barcos en Hamburgo— para emprender camino río abajo y observar como cada vez se estrecha más, hasta que finalmente sólo es transitable para las canoas.

Toma 21

One of the most lasting impressions of a stroll through Hamburg is conveyed by a walk round the Alster. A large lake and a small one, and, what is more, artificially dammed: What, you may ask, is so special about that? The Outer Alster and the Inner Alster are not situated at the gates of Hamburg, but in the heart of the Hanseatic town, giving the city its unique appearance. In earlier times the gardens and parks of the rich merchants on the Harvestehud side, from which our picture was taken, extended down to the banks. But nowadays the well-kept grounds of the Alster banks are for everyone's use. It is possible to walk round the large basin of the Outer Alster in just under an hour; to observe the Television Tower from new and ever more charming vantage points as you pass along the Uhlenhorst, the bank lying opposite the Harvestehude; to feed the swans occasionally or watch how they quarrel over their territory.
Our view is directed from the Harvestehude towards the centre of the town, towards the towers which stand out clearly against the heavy northern sky. And when you have seen enough of these enchanting views of the townscape, you can take one of the Alster steamers, as the small white ships are called in Hamburg, and travel downstream, until the river becomes so narrow that it is only accessible to canoes.

Picture 21

Zu den nachhaltigsten Eindrücken eines Hamburg-Bummels gehört eine Wanderung rund um die Alster. Ein großer und ein kleiner See, noch dazu künstlich aufgestaut: was ist Besonderes daran? Außen- und Binnenalster liegen nicht vor den Toren Hamburgs, sondern im Herzen der Hansestadt und geben dem Stadtbild ein einzigartiges Gepräge. Früher einmal reichten auf der Harvestehuder Seite, von der unser Bild aufgenommen wurde, die Gärten und Parks der reichen Kaufleute bis an das Ufer. Jetzt aber gehören die gepflegten Anlagen der Alsterufer der Allgemeinheit. In einer knappen Stunde kann man einmal rings um das große Becken der Außenalster spazieren, von der Uhlenhorst – dem Harvestehude gegenüberliegenden Ufer – den Fernsehturm aus immer neuen und immer reizvolleren Perspektiven beobachten, zwischendurch die Schwäne füttern oder zuschauen, wie sie sich zuweilen ihre Reviere streitig machen.
Von Harvestehude aus ist der Blick auf die Innenstadt gerichtet, auf die Türme, die sich deutlich unter dem schweren Himmel des Nordens abheben. Wer sich an diesen Schönheiten städtischer Landschaft satt gesehen hat, kann mit dem Alsterdampfer, wie die kleinen weißen Schiffe in Hamburg genannt werden, den Fluß abwärts fahren, bis er immer schmaler wird und schließlich nur noch den Faltbootfahrern zugänglich ist.

Bild 21

NRC

Nikolaifleet

Was in Amsterdam die Grachten und in Venedig die Kanäle, das sind in Hamburg die Fleete. Aber es gibt immer weniger von ihnen. Sie müssen Hochhäusern und U-Bahnen, Schnellstraßen und der Hafenerweiterung weichen. Das Nikolaifleet ist nicht nur eines der letzten Fleete in der Innenstadt, es ist zudem gesäumt von Kleinodien des alten Hamburg, von denen es in der großen Stadt an der Elbe nur noch so wenige gibt. An der Straßenfront sehen diese windschiefen Häuser noch nicht so alt aus, wie sie in Wirklichkeit sind. Viel Farbe und viel Putz täuschen über ihre Vergangenheit hinweg. An der Wasserseite freilich wirken manche der alten Speicher, als müßten sie sich gegenseitig stützen.
Für Handel und Wandel zwischen Hafen und Stadt spielen die Fleete heute kaum noch eine Rolle. Viele von ihnen wurden mit Trümmern aus dem Zweiten Weltkrieg zugeschüttet. Früher einmal mußten diese Wasserläufe einen Großteil der Hamburger Abwässer aufnehmen. Heinrich Heine, der geniale Spötter, der Hamburg mit spitzer Feder beschrieben hat, reimte deshalb einmal: »Zu Hamburg frug ich, warum so die Straßen stinken täten: Doch Schiffer und Kaufleut versicherten mir, das käme von den Fleeten!«

Bild 22

The Nikolaifleet

The "Fleets" are to Hamburg what the canals are to Amsterdam and to Venice. But they are becoming fewer and fewer in number. They have had to give way to tall buildings and underground railway lines, to expressways and extensions to the port. The Nikolaifleet is not only one of the last "Fleets" in the town centre, but it is also flanked by the jewels of the old part of Hamburg, of which so few remain in the great town on the Elbe. On the street side these crooked houses do not look so old as they really are. A good deal of paint and polishing help to delude us as to their past. On the waterfront, however, some of the old structures give the direct impression that they are holding each other up.
Today the Fleets play hardly any part in the trade and traffic between the port and the town. Many of them were filled in with débris from World War II. In earlier times these water courses received much of Hamburg's sewage. Heinrich Heine, the brilliant cynic, who described Hamburg with his sharp pen, once wrote: "I asked in Hamburg what stinks so in the streets; but seamen and merchants assured me it came out of the Fleets!"

Picture 22

Canal de Nikolai

Los canales tienen para Amsterdam, Venecia y Hamburgo similar significado. Pero aquí cada vez hay menos. Deben ceder su lugar a las grandes edificaciones, a los trenes subterraneos, a las autopistas y a la ampliación portuaria. El canal «Nikolai» (Nikolai fleet) además de ser uno de los últimos canales que se conservan en el centro, se halla rodeado por preseas del viejo Hamburgo, de las pocas que van quedando en la gran ciudad a orillas del Elba. Vistas desde la calle, estas vetustas casas no aparentan el tiempo que en realidad tienen. Mucha pintura y mucho revoque disimulan su pasado. Vistas desde el agua sin embargo, las viejas edificaciones dan la impresión de tener que apoyarse mutuamente. Para el tráfico y el movimiento de mercaderías entre el puerto y la ciudad los canales ya no guardan importancia alguna. Muchos de ellos fueron tapados con las ruinas que dejó la segunda guerra mundial. En épocas anteriores, muchos de estos cursos de agua, debían asimilar una gran parte de las aguas residuales de Hamburgo. Heinrich Heine, el genial poeta satírico que describió Hamburgo con su aguda pluma, compuso una vez la siguiente rima:

Cuando en Hamburgo preguntaban
por el mal olor de las calles
marinos y comerciantes aseguraban
que provenía de los canales.

Toma 22

Rascacielos en el Osdorfer Born

De aspecto imponente para el observador, de concepción discutida para el planificador y juzgada ambiguamente por sus habitantes: ésta es la ciudad satélite hamburguesa «Osdorfer Born», edificada en dos años y con capacidad para 20.000 habitantes. También el edificio más alto y más grande destinado a viviendas de la ciudad del Hansa, el «Wabenhaus» (casa-panal) que aparece en la reproducción, pertenece a la ciudad satélite «Osdorfer Born». Es un edificio de superlativos: longitud 450 m, altura 60 metros, 21 pisos.
Más de 1000 personas habitan bajo su techo, lo que equivale a la población de una pequeña ciudad. El imponente gigante de hormigón es apostrofado por sus críticos —que no son pocos— como «máquina de vivir» y «cuartel.» Las encuestas a las que fueron sometidos sus inquilinos parecen dar la razón a los críticos. Muchos de los inquilinos de edad se sienten solos en el «panal». Los más jóvenes en cambio, los que han de concurrir asiduamente a su trabajo, se sienten a gusto en la anonimidad especial que les presta el coloso. Según el resultado de la encuesta, también un viejo marino se encontraba a gusto en el discutido rascacielos. La explicación dada por él es interesante, ya que equiparó al rascacielos en el que vivía con un gran buque de pasajeros. Entretanto han sido construídas piscinas, mercados, oficinas públicas y parques infantiles alrededor de los edificios de vivienda del «Osdorfer Born.»

Tall Buildings on the Osdorfer Born

Imposing for the beholder, disputed among the town planners, regarded with mixed feelings by the residents, is the large Hamburg residential estate of "Osdorfer Born," which was built in two years and houses more than 20,000 people. The tallest and largest residential block in the Hanseatic town, the so-called *Wabenhaus* (Honey-comb House), shown in our picture, is also part of the satellite town of Osdorfer Born. It is a building of superlatives: 450 metres (1480 feet) long, 60 metres (200 feet) high, 21 storeys.
Under its roof live more than 1,000 people, which is equal to the population of a small town. The massive concrete giant is referred to by its critics—and of these there are not a few—as the "Housing Machine" and "Barracks." Surveys carried out among the residents seem to confirm these critics' views. Many of the older tenants in the „Honeycomb House" are lonely; the younger ones, however, who regularly go to work, seem in many cases to appreciate the special kind of anonymity radiated by this colossal building. There was one old seaman who, the survey showed, also enjoyed living in this much disputed super building. The reason he gave for this is interesting: he compared the "skyscraper" in which he was living to a large passenger liner. In the meantime swimming pools, shopping centres, offices and playgrounds have grown up around the residential houses of the Osdorfer Born.

Hochhäuser am Osdorfer Born

Imposant für den Betrachter, umstritten bei Stadtplanern, zwiespältig empfunden von den Bewohnern: die Hamburger Großsiedlung »Osdorfer Born«, die in zwei Jahren hochgezogen wurde und in der mehr als 20 000 Menschen leben. Auch der höchste und größte Wohnsilo der Hansestadt, das Wabenhaus, das unser Bild zeigt, gehört zur Trabantenstadt Osdorfer Born. Es ist ein Gebäude der Superlative: 450 Meter lang, 60 Meter hoch, 21 Stockwerke.
Unter seinem Dach leben mehr als 1000 Menschen, was der Einwohnerzahl einer kleinen Stadt gleichkommt. Der wuchtige Betonriese wird von seinen Kritikern – und das sind nicht wenige – als »Wohnmaschine« und »Kaserne« bezeichnet. Umfragen bei den Bewohnern scheinen diesen Kritikern recht zu geben: Viele ältere Mieter kommen sich in der Wohnwabe einsam vor; die jüngeren dagegen, die im Arbeitsrhythmus stehen, fühlen sich in der besonderen Art von Anonymität, die dieser Gebäudekomplex ausstrahlt, häufig wohl. Auch einem alten Seemann gefiel es, wie die Umfrage ergab, in dem viel umstrittenen Hochhaus. Der Grund, den er dafür angab, ist interessant: er verglich den Wolkenkratzer, in dem er wohnte, mit einem großen Passagierschiff. Inzwischen sind rings um die Wohnhäuser des Osdorfer Borns Schwimmbäder, Ladenzentren, Ämter und Spielplätze entstanden.

Blankenese

Blankenese ist neben der Alster und dem Hafen wohl das Schönste, das die Hansestadt zu bieten hat. Die Häuser kleben an den Hängen, oft verdeckt durch das viele Grün. Bunt ist diese Welt, die fast so südlich aussieht wie Lugano oder Portofino. Und dennoch ist es eine Landschaft des Nordens mit Möwengeschrei und dem Heulen der Typhone über dem breiten Strom.
Es ist nicht leicht, Blankenese wirklich kennenzulernen, denn die Blankeneser, so sagte einmal der Hamburg-Dichter Hans Leip, rechnen alles zum Fremdenverkehr, was nicht wenigstens elf Jahre ansässig ist. Aber der Stufen und Treppchen, der winkligen Wege vom Strand hinauf zur oberen Stadt, wo der Bahnhof steht, sind so viele, daß sich mühelos ein bleibender Eindruck gewinnen läßt, wenn man nur mit offenen Augen durch diese verträumte Welt zu wandern versteht.
Blankenese ist nie laut. Nicht einmal im Sommer, wenn ein paar Fremde mehr kommen als zu anderen Zeiten. Es gibt keinen lärmenden Touristenverkehr wie im tiefen Süden, in den man sich versetzt fühlt, wenn man auf den Süllberg schaut. Blankenese liegt eben doch im Norden Deutschlands und ist bei aller Besonderheit ein Teil von Hamburg. Die Menschen, die hier wohnen, sind seit jeher mit der großen Stadt und der weiten Welt verbunden. Kapitäne, Reeder, Handelsherren – sie machen noch immer einen guten Teil der Einwohner von Blankenese aus.

Bild 24

Blankenese

After the Alster and the dockland, Blankanese is surely the most beautiful area that Hamburg has to offer. The houses seem to be glued to the slopes, often concealed by the masses of plants. This is a colourful world, reminiscent of Lugano or Portofino much further south. And yet it is a northern landscape with the screaming gulls and the howling sirens of the ships across the broad river.
It is not easy to come to know Blankanese really well, for the people of this district, as the Hamburg poet Hans Leip once said, regard everyone as a visitor who has not been resident for at least eleven years. But there are so many steps and stairways, crooked paths up from the shore to the upper part of the town where the station is situated that a lasting impression can be gained without the least effort, as long as you are able to wander through this dreamy world with open eyes.
Blankanese is never loud. Not even in the summer, when there are a few more visitors than at other times of the year. There is no bustling tourist traffic like that encountered in the southern countries to which you may think you have been transplanted when you look over to the Süllberg. Blankanese does lie in the north of Germany and, for all its peculiarities, is a part of Hamburg. The people who live here have, since time immemorial, had their ties with the northern metropolis and the wide world. The sea captains, shipowners, the heads of trading firms—these are the people who make up a good part of the residents of Blankanese.

Picture 24

Blankenese

Blankenese es posiblemente junto con el Alster y el puerto el lugar de mayor interés que la ciudad del Hansa pueda ofrecer. Las casas pegadas a las pendientes a menudo se hallan ocultas por tanto verdor. Este colorido mundo se asemeja en su mediterraneidad a Lugano o a Portofino. Y sin embargo es un paisaje nórdico con el chirrido de las gaviotas y el silbido del viento sobre el ancho cauce del río.
No es fácil llegar a conocer Blankenese verdaderamente, ya que sus habitantes, según relata el poéta hamburgués Hans Leib, contemplan como forastero a todo aquel que no se haya radicado allí al menos desde hace once años. Pero abundan tanto las escalinatas, las escalerillas y los caminos sinuosos que desde la playa van a dar a la ciudad alta –donde se encuentra la estación– que no es difícil conservar una impresión caminando por estos parajes de ensueño con los ojos bien abiertos.
Blankenese nunca se presenta ruidoso. Ni siquiera en verano, cuando aparecen unos cuantos forasteros más que en otras épocas. No hay un tráfico de turistas bullicioso como el que existe bien al sur, a donde uno se siente transplantado sin embargo mirando hacia el monte Süllberg. Pese a ello Blankenese se halla situado en el norte de Alemania y es por encima de todas sus particularidades una parte de Hamburgo. La gente que vive aquí está ligada desde siempre a la gran ciudad y a la amplitud del mundo. Capitanes, armadores y grandes comerciantes son los que todavía representan una gran parte de la población de Blankenese.

Toma 24

«Jenischhaus» (Casa de Jenisch)

A lo largo del Elba, entre Hamburgo y el suburbio Blankenese, numerosas residencias dejan testimonio de la cultura arquitectónica hanseático-burguesa. Pero apenas un edificio se adapta tan armoniosamente en su forma exterior, en la concepción de sus habitaciones así como en su situación al tranquilo paisaje de parques por encima del gran río, como la casa de Jenisch. Hoy en día esta sede exterior del museo de Altona presenta los estilos de vivienda desde el barroco hasta el estilo juvenil. La casa fue construída por el senador Martin Johann Jenisch entre los años 1828 y 1834. El diseño proviene del arquitecto Forsmann, pero ha sido influenciado decididamente por el clasicista Karl Friedrich Schinkel. La planta baja ha sido instalada hoy nuevamente en concordancia al estilo clasicista correspondiente al periodo de su edificación. Las obras más importantes de la renombrada pinacoteca de la familia Jenisch han sido donadas al municipio y devuelven a los interiores un algo de su ambiente original. La planta alta demuestra la evolución del estilo de vivienda burgués desde el barroco hasta el biedermeier. En el cuarto de estilo rococó se distingue una valiosa estufa fayance que fué encontrada en 1962 por erúditos del museo de Altona durante unas excavaciones.

Jenisch House

Along the Elbe, between Hamburg and its suburb of Blankanese, there are a number of villas, a witness to the Hanseatic burghers' style of living "burghers." But hardly any other building, in its exterior, in the design of its rooms and in its position, fits so harmoniously into the tranquil parkland above the broad river as the Jenisch House, which nowadays, as a branch of the Altona Museum, displays an exhibition of Hamburg living styles from the Baroque to Art Nouveau. The house was built for Senator Martin Johann Jenisch jun. from 1828 to 1834. The designs were by the architect Forsmann, but were strongly influenced by the outstanding neo-classical architect Karl Friedrich Schinkel. The ground floor is today once again arranged in the neo-classical style. The most important parts of the famous collection of paintings belonging to the Jenisch family, which have been presented to the town on permanent loan, restore to the rooms something of their former atmosphere. The upper storey illustrates the development of the burghers' style of living from the Baroque to Biedermeier (up to about 1848). In the Rococo room there is a valuable faience stove, which was first discovered during excavations by members of the staff of the Altonaer Museum in 1962.

Jenischhaus

Entlang der Elbe, zwischen Hamburg und seinem Vorort Blankenese, legen zahlreiche Herrensitze von der hanseatisch-bürgerlichen Wohnkultur Zeugnis ab. Aber kaum ein anderes Gebäude fügt sich in seinem Äußeren, in der Gestaltung seiner Räume und in seiner Lage so harmonisch in die stille Parklandschaft oberhalb des großen Stromes ein wie das Jenischhaus, das heute als Außenstelle des Altonaer Museums hamburgische Wohnkultur vom Barock bis zum Jugendstil präsentiert. In den Jahren 1828 bis 1834 wurde das Haus für den Senator Martin Johann Jenisch d. J. erbaut. Die Entwürfe stammten von dem Architekten Forsmann, sind aber von dem bedeutenden Klassizisten Karl Friedrich Schinkel wesentlich mitgeprägt worden. Das Erdgeschoß ist heute wieder ganz im klassizistischen Stil der Bauzeit eingerichtet. Die wichtigsten Teile der renommierten Gemäldesammlung der Familie Jenisch, die als Dauerleihgaben der Stadt zur Verfügung gestellt wurden, geben den Räumen etwas von ihrem einstigen Fluidum zurück. Das Obergeschoß veranschaulicht die Entwicklung bürgerlichen Wohnstils vom Barock bis zum Biedermeier. Im Rokokozimmer ist ein wertvoller Fayence-Ofen zu sehen, der erst 1962 bei einer Ausgrabung von Wissenschaftlern des Altonaer Museums gefunden wurde.

St. Peter und Paul in Bergedorf

Ein Idyll am Rande der Millionenstadt: die alte Fachwerkkirche St. Peter und Paul. Sie liegt an der Bille, im Stadtteil Bergedorf, der sich seine Eigenart aus der Zeit, da er selbständige Stadtgemeinde war, eindrucksvoll bewahrt hat. Das Fachwerkhaus neben der hübschen alten Kirche – sie wurde 1502 erbaut und 1662 durch ein Querschiff erweitert – war früher einmal das zum Kirchenspiel gehörige Organistenhaus.

Für Freunde sakraler Baukunst ist ein Blick in das Innere von St. Peter und Paul lohnend. Imponierend sind die schweren Stützbalken des Turmes, die sich wuchtig hinter der Orgelempore erheben. Die Kanzel ist eine Stiftung der hansischen Schwesterstadt Lübeck, von der Bergedorf lange Zeit gemeinsam mit Hamburg verwaltet worden war.

Von dieser malerisch gelegenen Kirche am kleinen Billefluß gelangt man rasch zum Bergedorfer Schloß. Seit es Anfang des 15. Jahrhunderts von Hamburgern und Lübeckern erobert wurde, war es jahrhundertelang Sitz des gemeinsam bestellten Amtshauptmanns. Heute ist im Schloß das Bergedorfer Museum untergebracht, das stadtgeschichtliche Exponate von der Frühgeschichte bis in die jüngste Vergangenheit der Billestadt zeigt.

Bild 26

The Church of St. Peter and Paul in Bergedorf

An idyll on the outskirts of the vast city: the old timber- framed church of St. Peter and Paul. It is situated on the river Bille, in the district of Bergedorf, which has impressively preserved its special character from the time when it was an autonomous parish.

The half timber house beside the attractive old church–the latter was built in 1502 and extended by a transept in 1662–used to be the parish organist's house.

A peep into the interior of St. Peter and Paul is rewarding for enthusiasts of church architecture. The heavy buttresses of the tower, rising up massively behind the organ gallery, are imposing. The pulpit was donated by the Hanseatic sister-town of Lübeck, which, together with Hamburg, was for many years responsible for the administration of Bergedorf.

Bergedorf Schloss (Palace) can be reached in a few minutes from this picturesquely situated church on the river Bille. Conquered by the people of Hamburg and Lübeck at the beginning of the 15th century, it was for many years the seat of the jointly appointed prefect. Today the palace houses the Bergedorf Museum, which displays exhibits relating to the history of the town on the Bille from prehistoric times until the recent past.

Picture 26

San Pedro y Pablo en Bergedorf

Un idilio al borde de la ciudad millonaria: la vieja iglesia de muros entramados de San Pedro y Pablo. Se halla enplazada a orillas del rio Bille en el barrio Bergedorf, que ha sabido acentuadamente conservar el carácter que revestía en la época en que era un municipio independiente.

La casa, también de muros entramados, situada junto a la bonita y vieja iglesia (ésta fue construída en 1502 y ampliada en 1662 con una nave transversal) fué en otra época la morada perteneciente al organista de la iglesia.

Para los adeptos a la arquitectura sacra una visita al interior de San Pedro y Pablo bien vale la pena. Las pesadas vigas de sujeción de la torre se yerguen imponentes por detrás de la galería del órgano. El púlpito es una donación de la ciudad hanseática hermana de Lübeck, por la cual Bergedorf fué administrada largo tiempo en comunidad con Hamburgo.

Desde esta iglesia, situada pintorescamente junto al pequeño rio Bille, se llega rápidamente al palacio de Bergedorf. Desde su conquista por hamburgueses y lubequeses en el siglo XV fué durante siglos la sede del concejero que se designaba en común. Hoy en día el palacio alberga el museo de Bergedorf, en el cual se expone la historia de la ciudad del Bille, desde épocas remotas hasta nuestros días.

Toma 26

La isla del Elba se hizo muy conocida por la obra del poeta regional Gorch Fock, que dejó su vida en la batalla del Skagerrag durante la primera guerra mundial. Pero del idilio de los labradores y pescadores ya no queda mucho. Hoy Finkenwerder es uno de los barrios más industrializados de Hamburgo. En el noroeste han sido creados confortables bloques de viviendas. Actualmente la isla tiene más de 20.000 habitantes y otros 20.000 trabajan en los astilleros y en las demás industrias de Finkenwerder. Pero también la pesca sigue perteneciendo a las actividades que se practican en Finkenwerder, aunque no se manifieste tanto en la isla como ocurría en tiempos de Gorch Fock. En realidad Gorch Fock se llamaba Juan Kinau. Hijo de pescadores conocía los problemas sobre los que escribía por propia experiencia. Su obra fué seguida por sus hermanos Rodolfo y Jacobo Kinau, mayormente en el idioma bajo alemán. El «Finkwarder Speeldeel», un grupo folklorístico fundado en 1906 por Gorch Fock y su amigo Hinrich Wriede, viene dedicándose hasta hoy a la conservación de las costumbres de la Baja Alemania. Las balandras con las iniciales «HF» sobre la proa, tan llenas de tradición, siguen incursionándose lejanamente en los mares Nórdco y Báltico en busca de pesca.

The Elbe island became widely known through the works of the regional author Gorch Fock, who lost his life in the Battle of Jutland in the First World War. But little remains of the idylls of the peasants and fishermen. Nowadays Finkenwerder is one of the most industrialised districts of Hamburg. In the north-east, extensive residential estates have grown up. Today the island has more than 20,000 inhabitants and another 20,000 work in the docks and the other concerns in Finkenwerder. But fishing is still one of the occupations pursued on Finkenwerder, although it no longer dominates the island to the extent it used to in the times of Gorch Fock. Gorch Fock's real name was Johann Kinau. Being the son of a fisherman, he had first-hand knowledge of the problems he wrote about. His work was continued by his brothers Rudolf and Jakob Kinau, for the most part in Low German. Low German customs are still kept alive even today by the "Finkwarder Speeldeel," a dance group in local costumes founded by Gorch Fock and his friend Hinrich Wrie in 1906. The cutters with the traditional "HF" on their bows still set out to catch fish in the North Sea and the Baltic.

Durch die Schriften des Heimatdichters Gorch Fock, der in der Skagerrakschlacht des Ersten Weltkrieges sein Leben ließ, wurde die Elbinsel weithin bekannt. Aber von den Idyllen der Bauern und Fischer ist nur wenig geblieben. Heute ist Finkenwerder einer der industriereichsten Stadtteile Hamburgs. Im Nordosten entstanden großzügige Wohnsiedlungen. Mehr als 20 000 Einwohner hat die Insel heute und noch einmal 20 000 arbeiten auf den Werften und in den anderen Betrieben Finkenwerders. Aber die Fischerei gehört nach wie vor zu den Gewerben, die auf Finkenwerder betrieben werden, wenn sie auch die Insel nicht mehr in dem Maße beherrscht, wie es zu Zeiten Gorch Focks der Fall war. Gorch Fock hieß eigentlich Johann Kinau. Als Sohn eines Fischers kannte er die Probleme, über die er schrieb, aus eigener Anschauung. Sein Werk setzten seine Brüder Rudolf und Jakob Kinau fort, zum großen Teil in niederdeutscher Sprache. Der Pflege des niederdeutschen Brauchtums hat sich bis heute auch die »Finkwarder Speeldeel« verschrieben, eine Trachtengruppe, die 1906 von Gorch Fock und seinem Freund Hinrich Wried gegründet wurde. Die Kutter mit dem traditionsreichen »HF« am Bug fahren noch immer zum Fischfang weit hinaus auf Nord- und Ostsee.

HF.360
HF.360
HF.358.

Blick vom Elbhochufer auf Fluß, Schiff und Werft

Um Panoramen, wie es auf diesem Foto zu sehen ist, wird Hamburg in aller Welt beneidet. Hoch über der Elbe spaziert man durch gepflegte Parkanlagen und schaut sich die Häuser an, in denen seit Jahrhunderten die hanseatischen Großkaufleute und Reeder residieren und häufig die Fäden hamburgischer Handelsmacht zusammenliefen. Ab und zu wirft man auch einen Blick hinunter auf den Strom oder hinüber zu den Helgengerüsten der großen Werften.
In diesem Bereich wird jeder Fremde zum Hamburg-Liebhaber. Zwischen Altona und Blankenese eröffnen sich dem Wanderer auf dem Elbuferweg, der teilweise unmittelbar neben dem Fluß verläuft, immer neue reizvolle Durchblicke. Die Elbchaussee, diese weltberühmte Prachtstraße, an der viele der bekannten Hamburger Familien ihre Residenzen haben, verdankt ihre Schönheit dem natürlichen Umstand, daß hier die Unterelbe, die sonst fast ausschließlich durch flache Marschenlandschaft fließt, von einem 30 bis 50 Meter hohen Geestrücken begleitet wird. Manche Parkbesitzer haben ihren Boden durch Erde aus dem Alten Land verbessert und Zypressen, Platanen, Sumpfeichen oder Tulpenbäume gepflanzt. Das Elbufer ist als nahes Erholungsgebiet ebenso beliebt wie als vornehme Wohngegend.

Bild 28

View of the River, Ships and Port from the Top of the Elbe Bank

The whole world envies Hamburg panoramas such as the one seen in this photo. High above the Elbe you can walk through well-kept gardens and look at the houses which for centuries have been occupied by the Hanseatic merchants and the shipowners and where quite often the threads of Hamburg's commercial power come together. Occasionally you cast a glance down to the river or across to the frames of the slipways in the huge docks and shipbuilding yards.
In these parts every visitor is bound to become a lover of Hamburg. New and enchanting views between Altona and Blankanese continually reveal themselves to the hiker on the Elbe bank path, which in places runs directly by the river. The Elbchaussee, this magnificent world-famous road, on which many of the well-known Hamburg families have their residences, owes its beauty to the natural fact that here the lower Elbe, which otherwise flows through almost nothing but low-lying marshland, is accompanied by a 30 to 50 metre (100 to 165 foot) high ridge of dry land. Some park-owners have improved their ground with soil from the "Altes Land" and planted cypress trees, plane trees, marsh oaks or tulip trees. The Elbe bank enjoys equal popularity as a recreational area and an exclusive residential quarter.

Picture 28

Vista desde la orilla alta del Elbe sobre el río, los barcos y el astillero

Hamburgo es envidiada en todo el mundo por vistas, como las que muestra esta reproducción. Por encima del Elba, el paseo conduce por bien cuidados parques y permite la vista de las casas en las que desde hace siglos residen los grandes comerciantes y los armadores, y en donde a menudo se decidían los designios del poderío mercantil hamburgués. De vez en cuando, la vista se dirige hacia la parte baja, donde transcurre el río, o hacia las gradas de los grandes astilleros.
En esta zona, todo forastero se convierte en admirador de Hamburgo. Entre Altona y Blankenese, sobre el camino contiguo al Elba, que a menudo transcurre directamente junto al cauce del río, al transeunte se le ofrecen siempre vistas de gran atractivo. La «Elbchaussee», una avenida residencial conocida mundialmente, en la que muchas de las conocidas familias hamburguesas poseen sus residencias, debe su belleza al don natural de que el Bajo Elba —que en otras zonas únicamente corre por terrenos bajos— fluye aquí junto a tierras elevadas de 30 a 50 metros de altitud. Los dueños de algunos parques han mejorado el suelo aportando tierra del «Alten Land» (Tierra Vieja) y han plantado cipreses, plátanos, encinas de pantano o tuliperos. La orilla del Elba es codiciada como cercano lugar de esparcimiento y como zona de vivienda residencial.

Toma 28

Altes Land (Tierra Vieja)
Lugar de excursión detrás de los diques

Los alrededores de la ciudad del Hansa han sido alabados repetidamente. Los llanos, la Suiza Holsaciana, la Selva Sajona, la costa del Báltico y las playas del Mar del Norte son seguramente los puntos de destino más conocidos para los hamburgueses y sus visitantes. Pero también en las cercanías inmediatas, en parte sobre el propio territorio hamburgués, se encuentran tentadores lugares para el descanso y el sosiego, que bien vale la pena de ver y admirar. La «Tierra Vieja» pertenece a ellos. Un paisaje en el que las fincas rurales y los terrenos bajos se entrelazan detrás de los diques del Elba. Un paisaje silencioso de mesurada belleza. Unicamente a mediados de mayo las «Tierras Viejas» comienzan a repoblarse con numerosos visitantes de la cercana ciudad bimillonaria. Entonces las enormes plantaciones de frutales se encuentran en plena flor. Desde generaciones corresponde según una buena tradición hamburguesa efectuar una excursión primaveral a la tierra de los cerezos y manzanos. Durante las otras épocas del año sin embargo se pueden recorrer largos trechos a solas por los sinuosos diques que bordean los oscuros arroyos de pantano, o bien pasear a lo largo del rectísimo dique del Elba, contemplando el tráfico marítimo. En el costado contiguo, las limpísimas fincas en el estilo de la Baja Sajonia resaltan de los terrenos bajos y de su tono marrón-verdoso, como coloridos y alegres borrones de pintura. Las «Tierras Viejas» se extienden a lo largo del Elba desde Hamburgo hasta las murallas de Stade con una anchura de sólo pocos kilómetros.

Toma 29

Altes Land — A Popular Spot behind the Dikes

The surroundings of the Hanseatic town have often been extolled. The Heath, the "Holstein Switzerland," the Saxon Forest, the Baltic coast, the North Sea resorts are probably the places most favoured by the citizens of Hamburg and their guests. But in the immediate vicinity, in some cases within the confines of Hamburg, there are charming spots for recreation and relaxation worth seeing and admiring. The "Altes Land" (Old Land) is one of these, a stretch of countryside where the farms and marshy meadows lie right up behind the Elbe dikes. A tranquil landscape of restrained beauty. Only in mid-May does the Altes Land suddenly begin to fill with clusters of people from the big nearby city. Then the orchards are in full blossom. And for generations it has been part of good Hamburg tradition to go for a spring hike through the cherry and apple country. At other times of year, however, you can walk for hours alone over the winding dikes of the sombre moorland rivers or along the dead-straight Elbe dike, watch the ships or delight in the spick-and-span farmyards in Lower Saxony style, which stand out like bright blobs of paint in the green-brown marshland. The Altes Land, only a few miles wide, stretches from Hamburg along the Elbe as far as Stade.

Picture 29

Altes Land — Ausflugsziel hinter den Deichen

Die Umgebung der Hansestadt ist schon oftmals gerühmt worden. Die Heide, die Holsteinische Schweiz, der Sachsenwald, die Ostseeküste, die Nordseebäder sind wohl die bekanntesten Ziele der Hamburger und ihrer Gäste. Aber auch in unmittelbarer Nähe, zum Teil auf hamburgischem Gebiet gelegen, finden sich reizvolle Orte der Erholung und Entspannung — des Schauens und Bewunderns wert. Das Alte Land gehört dazu, eine Landschaft, deren Höfe und Marschfluren sich eng hinter die Deiche der Elbe anschmiegen. Eine stille Landschaft von verhaltener Schönheit. Nur Mitte Mai beginnt das Alte Land, sich plötzlich mit Menschentrauben aus der nahen Zweimillionenstadt zu füllen. Dann stehen die riesigen Obstplantagen in voller Blüte. Und es gehört seit Generationen zur guten hamburgischen Tradition, eine Frühjahrswanderung in das Kirschen- und Apfelland zu unternehmen. Zu anderen Jahreszeiten aber kann man lange allein über die gewundenen Deiche der dunklen Moorflüsse spazieren oder entlang des schnurgeraden Elbdeiches, kann den Schiffsverkehr beobachten oder sich über die blitzsauberen Höfe im Niedersachsenstil freuen, die wie bunte Farbtupfen in der grünbraunen Marschenlandschaft leuchten. Bis vor die Tore von Stade zieht sich das nur wenige Kilometer breite Alte Land von Hamburg aus an der Elbe hin.

Bild 29

Pöseldorf ist kein behördlich festumrissener Stadtteil. Gemeint sind ein paar Straßenzüge zwischen Alster und Mittelweg; poppig und kauzig, spleenig und extravagant, hanseatisch-bürgerlich und hanseatisch-bohemienhaft. In Pöseldorf läßt sich's leben: gut, lustig und teuer. Ein Hauch von Quartier Latin, etwas Staub von der gepflegten britischen Sorte. Hier ein bißchen Patina hamburgischer Handelsherrlichkeit, dort ein wenig Zuckerguß modernistischer Nostalgie.

Einst war Pöseldorf das Viertel der Privilegierten, bis diese an die Elbchaussee, ins Alstertal oder auf die Uhlenhorst am anderen Ufer der Außenalster abwanderten. Diese feinen Leute hatten Handwerker in die stillen Gassen und Höfe rund um die Milchstraße gezogen. Von ihnen hieß es: „Se *pöselt* so vör seck hen!", womit ihre zwar nicht hanseatische, gleichwohl aber liebenswerte Einstellung zur Arbeit gemeint war. Daraus, so kolportiert man heute gern, sei der Name Pöseldorf entstanden.

Jahrzehntelang blieb das Viertel vergessen. In den sechziger Jahren zogen Trödler und Galeristen, Boutique-Mädchen und Kneipiers, einige Künstler und Studenten in die Bürgerhäuser und Handwerkerhöfe ein. Und auf einmal war Pöseldorf „eine Adresse", war es „in", hier zu wohnen. Die Makler kamen und die Baulöwen. Das bunte Völkchen wanderte aus ins benachbarte Eppendorf, die feinen Leute waren wieder da, wie vor hundert Jahren . . .

Bild 30

Poeseldorf is not a clearly defined administrative district of the town. What is meant is a few streets between the Alster and Mittelweg; trendy and odd, capricious and extravagant, Hanseatic-bourgeois and Hanseatic-bohemian. In Poeseldorf you can live: well, merrily and expensively. A touch of the Latin Quarter, some dust of the distinguished English kind. Here a little patina of Hamburg commercial splendour, there a little sugar icing of fashionable nostalgia.

At one time Poeseldorf was the district for the privileged, until the latter moved to the Elbchaussee, to the Alster Valley or to the Uhlenhorst on the other side of the Outer Alster. These fine people had attracted workmen to the quiet lanes and courtyards around the Milchstrasse. Of them it was said, "They dawdle about," (Se *poeselt* so voer seck hen!), a reference to their attitude to work, which although delightful was not exactly Hanseatic. From this, so the story goes, came the name Poeseldorf.

For decades the area remained forgotten. In the sixties second-hand dealers and gallery owners, boutique girls and bar keepers, some artists and students moved into the villas and workshops. And all of a sudden Poeseldorf was a "good address," it was "in" to live here. The estate agents came and so did the building sharks. The colourful folk moved out into neighbouring Eppendorf, the fine people were back again, like a hundred years ago . . .

Picture 30

Poeseldorf no es un barrio delimitado en el sentido municipal. El barrio lo forma una serie de calles entre el Alster y el Mittelweg, donde conviven el estrafalario, el extravagante, el alocado, el hanseático-burgués y el bohemio. Aquí la vida es agradable, divertida y cara. Poeseldorf tiene un algo de Quartier Latin, mezclado con la vetustez del ambiente británico, algo de pátina de la grandiosidad mercantil hamburguesa y un poco de la abigarrada nostalgia modernista.

En una época fué el barrio de los privilegiados, hasta que éstos se mudaron a la Elbchaussee, al Alstertal o al Uhlenhorst en la orilla opuesta del Alster. Esta gente "bien" había atraído a los artesanos a las silenciosas callejuelas y patios existentes alrededor de la Milchstrasse. De ellos se decía en bajo alemán: "Se *poeselt* so voer seck hen!" (Así malgastan el tiempo), con lo cual se hacía referencia a su forma —no del todo hanseática, pero no por ello menos simpática— de encarar el trabajo. De éste dicho deriva según se dice el nombre de Poeseldorf.

Durante decenios éste barrio quedó en el olvido, hasta que por los años sesenta vinierou anticuarios y galeristas, chicas de boutique y taberneros, algunos artistas y estudiantes. Y de repente volvió a ser de buen tono vivir en Poeseldorf. Ello suscitó el interés de los agentes inmobiliarios, arquitectos y constructores. Sus simpáticos bohemios se marcharon al vecino Eppendorf. La gente fina volvió a venir, igual que hace cien años . . .

Toma 30

Grander Mühle (molino Grander)

En este cotizado lugar de esparcimiento al oeste de la gran ciudad hace ya tiempo que en vez de las románticas ruedas de molino se siente el ruido de tazas y platos. El «Grander Mühle», frecuentemente pintado, y más aún fotografiado, ha de ser el molino más antiguo de su tipo en Alemania. Fue construído en 1248 con abono vacuno, barro, paja y madera. El paso del tiempo no ha dejado sentir su influencia sobre la idílica construcción, que aparenta estar tan alejada del mundo, haciendo aparecer increible la distancia de tan solo 30 kilómetros a la ciudad. En ésto, los siglos soportados por el viejo molino no tenían nada de tranquilos. Un hidalgo dedicado al bandidaje, el caballero von Skarpenberge, ha sido el constructor. Los generales Till y Wallenstein acamparon aquí durante la guerra de los treinta años. A decir de las antiguas crónicas se pasaban las noches en el «Grander Mühle» balanceando sus copas y cantando canciones a voz llena. El ambiente ha debido de ser grandioso, ya que el molino pasó ileso —cosa nada común en la guerra de los treinta años— esta época.

Grander Mühle

For ages now the rattling of the romantic mill wheels has been replaced by the tinkling of cups and plates in this popular spot for trippers to the east of the town. The Grander Mühle, often painted, more often photographed, is regarded as the oldest windmill of its kind in Germany. It was built in 1248, out of cow dung, mud, straw and wood, as is recorded in the yellowed chronicles of the municipal archives. The passage of time has scarcely left its mark on the idyllic building, which looks so remote from the world that it is difficult to believe that it is no more than 19 miles from the teeming city. Nor were the centuries through which the old mill has passed untroubled times. A robber-knight, von Skarpenberge by name, built this mill. It was here that Generals Tilly and Wallenstein encamped during the Thirty Years' War. According to the old chronicles, they imbibed for many a long night and sang lusty songs. The atmosphere must have been really exceptional, for the mill remained unscathed, something which was pretty rare in the Thirty Years' War.

Grander Mühle

Schon lange klappern statt der romantischen Mühlräder nur noch Tassen und Teller in diesem beliebten Ausflugsziel im Osten der großen Stadt. Die Grander Mühle, oft gemalt, noch öfter fotografiert, gilt als älteste Mühle ihrer Art in deutschen Landen. Anno 1248 wurde sie gebaut, aus Kuhdung, Lehm, Stroh und Holz, wie in einer fast vergilbten Chronik im Stadtarchiv von Ratzeburg geschrieben steht. Die Zeitläufte haben dem idyllisch gelegenen Gebäude, das so weltabgeschieden aussieht, daß man die 30-Kilometer-Distanz zur Millionenstadt kaum glauben mag, nur wenig anhaben können. Und dabei waren die Jahrhunderte, die die alte Mühle auf dem Buckel hat, nicht ruhig. Ein Raubritter, der Herr von Skarpenberge, hat sie erbaut. Die Generäle Tilly und Wallenstein schlugen hier während des Dreißigjährigen Krieges ihre Lager auf. Sie sollen, wie die alten Chroniken berichten, nächtelang in der Grander Mühle die Humpen geschwungen und laute Lieder gesungen haben. Die Stimmung muß wirklich großartig gewesen sein, denn die Mühle blieb — was im Dreißigjährigen Krieg nicht gerade häufig vorkam — unversehrt.

SABINE
WAPPEN VON HAMBURG
HAMBURG

Alte Liebe in Cuxhaven

Das Seebäderschiff »Wappen von Hamburg« hat von dem Pier an der Alten Liebe in Cuxhaven abgelegt. Mit Hunderten von frohgestimmten Passagieren an Bord nimmt das schneeweiße Schiff der Hamburger Hadag-Flotte Kurs auf die rote Felseninsel Helgoland, das beliebte Tagesausflugsziel in der Deutschen Bucht, das zunehmend auch als Ferienort attraktiv wird. Am Kai bleiben winkende Menschen zurück, die gern die Reise nach Helgoland mitgemacht hätten.

Die Alte Liebe ist die nördlichste Landungsbrücke in Cuxhaven. Hier, wo sich der breite Elbestrom endgültig zum Meer geöffnet hat, kann man den Schiffsverkehr auf einem der belebtesten Verkehrswege der Weltschiffahrt am besten beobachten.

Es gibt sehr viele Versionen, die zu erklären versuchen, wie der Pier zu seinem Namen gekommen ist. Die meisten dieser Versionen sind zwar romantisch, aber stimmen nicht. Recht nüchtern nimmt sich dagegen jene Version aus, von der die Heimatforscher glauben, daß sie die richtige sei: Die Landungsbrücke wurde 1732 aus mehreren an dieser Stelle versenkten Schiffen erbaut. Eines dieser Schiffe hieß »Oliva«, woraus später »Alte Liebe« wurde.

Cuxhaven hat lange zu Hamburg gehört und liegt auf der äußersten Westspitze des heute niedersächsischen Elbufers. Ein kleiner Teil des Hafens ist noch immer in hamburgischem Besitz.

Bild 32

Old Love in Cuxhaven

The ship "Wappen von Hamburg" has just set sail from the "Alte Liebe" (Old Love) Pier in Cuxhaven. With hundreds of happy passengers on board the snow-white ship of the Hamburg Hadag Fleet heads for the red, rocky island of Heligoland, the popular destination in the German Bight for day-trippers, which is becoming more and more attractive as a holiday resort. Waving figures are left behind on the quay; they too might have liked to make the crossing to Heligoland.

The "Alte Liebe" is the northernmost landing stage in Cuxhaven. Here, where the broad Elbe river finally opens into the sea, is the best vantage point for watching the shipping pass along one of the busiest routes in world navigation.

There are many versions which attempt to explain how the pier came by its present name. Most of them are romantic, but wrong. The version most favoured by local experts is one of the most sober: the landing stage was constructed in 1732 from a number of ships which were sunk at this spot. One of these ships was called "Oliva," from which "Alte Liebe" later developed.

Cuxhaven for a long time belonged to Hamburg and lies on the westernmost tip of what is the Lower Saxony bank of the Elbe. A small section of the port is still part of Hamburg.

Picture 32

Alte Liebe (Viejo Amor) en Cuxhaven

El barco «Wappen von Hamburg», que enlaza los distintos baños marítimos, ha atracado junto al muelle de la «Alte Liebe» en Cuxhaven. Con cientos de bulliciosos pasajeros a bordo, el blanquísimo barco de la flota Hadag de Hamburgo toma rumbo hacia la rocosa y rojiza isla de Helgoland, el lugar más apreciado para excursiones diurnas en esta zona marítima y que cada vez está resultando también más atractivo como lugar de vacaciones. En el muelle queda atrás el gentío agitando pañuelos, que bien hubiera querido participar en el viaje a Helgoland.

El «Alte Liebe» es el muelle que queda más al norte en Cuxhaven. Aquí, donde el cauce del Elba se abre definitivamente hacia el mar, es donde mejor se puede observar el tráfico marítimo de una de las vías más frecuentadas del mundo.

Hay muchas versiones que pretenden aclarar como el viejo muelle ha llegado a su nombre. La mayoría de ellas son muy románticas pero inciertas. La versión mas sobria pero verosímil para los investigadores regionales es la siguiente: el muelle fue construído en 1732 utilizándose cascos de navíos hundidos en este lugar. Uno de ellos se llamaba «Olivia», lo que fué transformado posteriormente en «Alte Liebe».

Cuxhaven ha pertenecido durante largos periodos a Hamburgo y está situada en la punta más occidental de la que hoy en día es la orilla del Elba en la Baja Sajonia. Una pequeña parte del puerto se encuentra todavía bajo jurisdicción hamburguesa.

Toma 32